C0-AWT-337

SATIRE
DES PHILOSOPHES PAÏENS

SOURCES CHRÉTIENNES

N° 388

HERMIAS

SATIRE DES PHILOSOPHES PAÏENS

INTRODUCTION, TEXTE CRITIQUE, NOTES, APPENDICES ET INDEX

PAR

† R. P. C. HANSON
Professeur à l'Université de Manchester
ET SES COLLÈGUES

TRADUCTION FRANÇAISE

PAR

Denise JOUSSOT
Agrégée de l'Université

Ouvrage publié avec le concours du Centre National des Lettres

LES ÉDITIONS DU CERF, 29, Bd de Latour-Maubourg, PARIS
1993

La publication de cet ouvrage a été préparée avec le concours de l'Institut des « Sources chrétiennes » (URA 993 du Centre National de la Recherche Scientifique)

ISBN 2-204-04857-7
ISSN 0750-1978

PRÉFACE

Cette édition de l'*Irrisio Gentilium Philosophorum* est l'œuvre d'un séminaire composé de membres des facultés de théologie, philosophie et littérature classique de l'Université de Manchester qui se sont réunis régulièrement pour la préparer de 1980 à 1984. Le professeur Hanson a assumé la direction, mais, c'est bien clair, seulement à titre de *primus inter pares*. Il s'agit, à un degré très marqué, d'une œuvre collective dont les huit membres du séminaire sont ensemble responsables. Tous les points importants ont été discutés en réunion plénière et ont reçu l'approbation de chacun avant d'être adoptés. Le directeur n'a cessé d'admirer l'assiduité et la détermination de ses collègues dans la réalisation de l'œuvre commune. Chacun avait d'autres tâches à accomplir au cours de cette période, mais nul n'a ménagé sa peine pour aboutir à un résultat aussi satisfaisant que possible.

Nous pouvons sans exagérer dire que cette édition est la plus complète jamais entreprise. Comme le lecteur le verra nous avons étudié le texte plus à fond que nos prédécesseurs et réuni plus de manuscrits que quiconque auparavant ; nous en avons assuré une collation nouvelle et établi un nouveau texte. En même temps nous avons examiné le contexte et les influences possibles sur la pensée de l'auteur plus complètement que tous les éditeurs antérieurs. Nous avons conclu qu'en toute probabilité l'*Irrisio* remontait environ à 200 ap. J.-C. et que cette satire philosophique chrétienne représente une œuvre pratiquement unique en son genre. Nous espérons que ce travail attirera l'attention sur un texte court mais précieux de la littérature chrétienne, jusqu'ici relégué dans une obscurité imméritée. Il n'a, par exemple, paru ni dans les *Griechischen Christlichen Schriftsteller* ni dans le *Corpus Christianorum*. *Sources Chrétiennes* peut se flatter d'être la première collection moderne des écrits patristiques à s'y être intéressée.

Voici les noms des membres du séminaire qui ont rédigé cette édition :

Rt. Revd. Prof. Richard P. C. Hanson D. D., M.R.I.A (Directeur).

Prof. Richard Bauckham M. A., Ph. D.

Jacquelyn Catterwell B. A.

Revd. Benjamin Drewery M. A.

Prof. George B. Kerferd M. A.

Gordon Neal M. A., M. Litt.

Revd. Stanley Russell, M. A., B. D., D. Phil.

Revd. Prof. Christopher M. Tuckett M. A., Ph. D.

Nous sommes grandement redevables à M. J. L. North, de l'Université de Hull pour l'*Index des mots*.

Nous remercions Mademoiselle Denise Joussot, Agrégée de l'Université, de la part qu'elle a prise à cette édition en traduisant le texte grec, et le Père André Prêle qui a bien voulu traduire en français tout le reste du travail écrit en langue anglaise.

R. P. C. Hanson (†)

INTRODUCTION

CHAPITRE PREMIER

CONTEXTE ET SOURCES DE L'OUVRAGE

1. HISTOIRE DE LA CRITIQUE

Depuis la première publication de l'*Irrisio* d'Hermias en 1553 par Ralph Seiler, l'ouvrage est resté énigmatique. L'absence de toute référence à ce livre dans la littérature antique et d'indication de date dans le texte lui-même a laissé ouvert le débat sur sa place et sa signification dans la patristique. La plupart des critiques ont ignoré l'*Irrisio*. Ceux qui lui ont accordé quelque intérêt ont, de siècle en siècle, avancé les mêmes arguments et abouti aux mêmes conclusions — fort divergentes. Certains éléments nouveaux ont été cependant dégagés, et quelques progrès réels accomplis.

Un sommaire de l'histoire de la critique ne résoudra pas les problèmes principaux sur la date et la nature de l'œuvre, mais il permettra de poser les questions fondamentales pour aborder le texte et d'esquisser les principales options offertes. Il établira donc les fondations indispensables pour bâtir le reste de cette introduction[1].

1. Les notes de cette section ne comportent que des références abrégées aux œuvres citées. On trouvera tous les détails dans la bibliographie. De même, les éditions du texte d'Hermias, indiquées dans la liste des éditions, sont ici mentionnées seulement par le nom de l'éditeur et la date de parution.

la tradition manuscrite

L'histoire des éditions de l'*Irrisio* témoigne d'une extension lente mais continue de la base manuscrite. Dans son *editio princeps* (1553) Seiler utilisa un seul manuscrit, N, et toutes les éditions postérieures suivirent son texte jusqu'en 1700. William Wort put alors introduire dans sa publication des variantes tirées du manuscrit C, alors entre les mains d'un grand amateur d'antiquités, Thomas Gale, doyen de York, qui lui communiqua ses leçons. Le bénédictin Prudent Maran mit à contribution deux autres manuscrits, R et O, dans son importante édition de 1742. Aucun progrès ne se dessina pendant près de cent ans (puisque l'édition de Dommerich en 1764 ne tint même pas compte de celle de Maran et n'apporta aucune recension nouvelle). Le critique hollandais W. F. Menzel eut, pour la première fois accès au manuscrit de Leyde (L) et en cita six dans son édition de 1840. En 1872, J. C. T. Otto fonda son édition sur les cinq manuscrits de ses prédécesseurs (N, C, R, O, L) ainsi que sur trois autres (V, M, D). Il fournit aussi une liste de douze manuscrits, dont quatre qu'il ne consulta point (Q, X, F, E). Enfin le texte de Diels (1879) se fonda sur celui de Otto, bien que l'apparat critique ne se réfère qu'aux leçons de V, M, O et L. Le manuscrit de Patmos n'a été connu qu'avec sa mention dans le catalogue de Sakkelion Πατμιακὴ Βιβλιοθήκη (1890). Harnack le signala en 1893[1] et ses variantes suscitèrent l'intérêt des critiques à la suite d'un article de Knopf, en 1900[2]. Les trois derniers manuscrits découverts (S, T) et le manuscrit de Saragosse, semblent avoir été cités pour la première fois par Ehrhard (1900)[3].

1. Harnack, *Geschichte* I (1893), p. 783.
2. R. Knopf, *ZWTh* 43 (1900), 626-638.
3. A. Ehrhard, *Die altchristlichen Litteratur*, 1re partie (1900), p. 252. Nous n'avons pas pu consulter l'édition de G. A. Rizzo (1931).

l'auteur

On a tenté plusieurs fois, surtout dans le passé, d'identifier Hermias avec un personnage du même nom, et comme il s'agit d'un nom assez courant[1] les candidats ne manquaient pas. Citons-les, dans l'ordre chronologique :

1. Hermès Trismégiste : en 1724, Heumann pensa à un pseudonyme[2].

2. Hermias le martyr, fêté le 31 mai, mis à mort en Cappadoce sous Antonin, c'est ce que suggère Fabricius[3] ; Ceillier admet cette possibilité, sans cependant la prendre à son compte[4].

3. Le fondateur de la secte des Hermiens mentionnée par Filastre et par Augustin. Cette théorie, qui ferait remonter l'*Irrisio* au IVe siècle, fut proposée par Thienemann ; il expliquait ainsi, en faisant de l'auteur un hérétique, l'absence de mention de Hermias chez les écrivains ecclésiastiques[5].

4. Le prêtre à qui Cyrille d'Alexandrie a dédié ses Dialogues sur la Trinité. Cette hypothèse apparaît chez Fabricius[6] et Ceillier[7].

5. L'historien Hermias Sozomène. Cette identification, déjà proposée par Wolf dans les notes de son édition de

1. J. A. FABRICIUS, *Bibliotheca graeca*, vol. VII (1801), p. 114-115, cite le nom de plusieurs personnes du nom d'Hermias dans l'Antiquité.
2. Selon WAGENMANN, «Hermias», p. 42.
3. FABRICIUS, *op. cit.*, p. 114.
4. R. CEILLIER, *Histoire générale des auteurs sacrés et ecclésiastiques*, vol. III (Paulus-du-Mesnil, Paris 1740), p. 555.
5. W. F. THIENEMANN, *Hermias* (1828), p. 11-13.
6. FABRICIUS, *loc. cit.*
7. CEILLIER, *loc. cit.*

l'*Irrisio* en 1580[1], et reprise par Lambecius[2]et Tentzel[3], a été fort bien réfutée par Cave[4] et Dommerich[5].

6. Le rhéteur Hermias à qui Procope de Gaza adressa son épître 129. Cette dernière suggestion, due à Wendland[6], en 1899, clôt la série. La plupart de ces solutions manquent de fondement sérieux et aucune n'a trouvé l'audience des autres critiques, qui en majorité concluent qu'on ne rencontre aucune mention de notre Hermias dans la littérature de l'Antiquité, en dehors du titre de l'*Irrisio*.

la datation

A part les problèmes textuels, la majorité des spécialistes se sont avant tout préoccupés de la datation. Les efforts pour identifier l'auteur avec un écrivain d'une époque connue ayant échoué, il fallut recourir à d'autres moyens pour trancher cette question. La parenté littéraire (discutée plus bas) tient ici une place importante. Mais d'autres considérations ont aussi poussé la plupart des critiques à opter pour le IIe ou le IIIe siècle. En voici la liste :

1. Le titre de «philosophe» range Hermias au nombre des apologistes du IIe siècle dont plusieurs ont revendiqué

1. H. Wolf (éd. 1580), p. 201.

2. P. Lambecius, *Commentariorum de augustissima bibliotheca Caesarea Vindobonensi*, vol. VII (J. C. Cosinerovius, Vienne 1675), p. 54.

3. W. E. Tentzel, *Exercitationes selectae in duas partes distributae*, Pars 1 (J. F. G., Leipzig/Frankfurt 1692).

4. W. Cave, *Scriptorum Ecclesiasticorum Historia Literaria Facile et perspicua Methodo digesta,* vol. II (R. Chiswell, London 1698), p. 36-37. Son argumentation a été adoptée par Ceillier, *Histoire générale* (1740), p. 555 ; P. Maran (éd. 1742), p. 401 ; D. Schram, *Analysis Operum SS. Patrum, et Scriptorum Ecclesiasticorum*, vol. I (M. Rieger, Augsburg 1780), p. 710.

5. J. C. Dommerich (éd. 1764), p. 39-43.

6. P. Wendland, *ThLZ* 24 (1899), p. 180-181.

cette appellation[1]. Néanmoins, a objecté Diels[2], des écrivains chrétiens postérieurs, des moines byzantins par exemple, pouvaient employer ce terme qui, de toute façon, provenait peut-être, non d'Hermias lui-même, mais des copistes qui l'identifiaient avec le père du philosophe Ammonius.

2. L'œuvre doit remonter à une époque où la philosophie païenne était encore florissante. Cet argument, déjà proposé par Cave (1698) en faveur du IIe siècle[3] peut être battu en brèche : après tout, il y eut des philosophes païens à ridiculiser pendant bien des siècles après le second[4] (v. aussi le n° 7 ci-dessous). Menzel cite des ouvrages apologétiques tardifs écrits contre la philosophie païenne par l'historien Socrate, Cyrille d'Alexandrie et Théodoret[5].

3. On peut pousser plus loin l'argument précédent en notant que Hermias ne mentionne pas le néo-platonisme, comme il aurait dû le faire à une époque plus tardive, à l'instar des philosophes chrétiens de l'école de Gaza au début du VIe siècle (avec qui Wendland voudrait l'associer[6]). Mais Harnack[7] et Puech[8] ne se laissent pas convaincre par cette raison, eu égard à la tendance conservatrice de la littérature apologétique.

4. La référence à l'apostasie des anges (ch. I) indiquerait une date ancienne. Maran semble avoir le premier usé de

1. J. C. OTTO (éd. 1872), p. XXXIV ; A. DI PAULI, *Die Irrisio* (1907), p. 24-32.

2. H. Diels (éd. 1879), p. 259. Cet argument a été réfuté par G. A. RIZZO, *Lo Scherna* (1929), p. X-XI.

3. Cf. aussi L. ELLIES-DUPIN, *A New History of Ecclesiastical Writers*, vol. 1 (A. Swalle - T. Childe, London 1692), p. 61.

4. Diels (éd. 1879), p. 259 ; cf. W. F. Menzel (éd. 1840), p. 23-26.

5. Menzel (éd. 1840), p. 24-25, 27.

6. DI PAULI, *Irrisio* (1907), p. 50-51 ; ALFONSI, *Ermia* (1947) ; BARDENHEWER, *Geschichte*, vol. I (1913), p. 327.

7. HARNACK, *Geschichte* II.2 (1904), p. 196.

8. A. PUECH, *Les apologistes* (1912), p. 281.

cet argument dans son édition de 1742[1]. Ce passage lui paraissait compatible avec le IIe ou, tout aussi bien, le IIIe siècle. Certains, tel Neander[2], ont pensé que Hermias était en fait un de ces chrétiens hostiles à la philosophie grecque qui, selon Clément d'Alexandrie, en attribuaient la naissance à la chute des anges. Di Pauli, dont la monographie importante contient la discussion la plus poussée sur la date de l'*Irrisio*, estime que la convergence des arguments 1, 3 et 4, jointe à la dépendance de la *Cohortatio* du Pseudo-Justin par rapport à Hermias (voir plus bas), milite de façon décisive pour la fin du IIe ou le début du IIIe siècle[3].

5. Kindstrand a récemment soutenu que la langue du texte suggère une date du IIe siècle et n'exige certainement pas un contexte plus tardif[4].

D'autres considérations ont, cependant, amené certains à préférer une date postérieure. Mentionnons-les :

6. Le livre, dit-on, n'est pas une œuvre apologétique destinée à des lecteurs païens, mais une homélie adressée à des chrétiens. Une série de critiques à la suite de Wolf (1580) l'ont pensé, à cause de la formule ὦ ἀγαπητοί (ch. I)[5]. Un véritable apologiste, ajoute Harnack, n'aurait guère commencé par une citation de saint Paul et une allu-

1. Maran (éd. 1742), p. 401 ; suivi par SCHRAM, *Analysis*, vol. I (1780), p. 710. DI PAULI, *Irrisio* (1907), p. 32-37 ; BARDENHEWER, *Geschichte*, vol. I (1913), p. 328, considère ce point comme un élément important pour la datation.

2. A. NEANDER, *General History of the Christian Religion and Church*, vol. II (H. G. Bohn, London 1851), p. 429 ; cf. DI PAULI, *Irrisio* (1907), p. 37 ; HITCHCOCK, *Theol.* 32 (1936), 104-105 ; Bareille, « Hermias » (1947), col. 2304.

3. DI PAULI, *Irrisio* (1907), p. 53.

4. KINDSTRAND, *VigChr* 34 (1980), p. 345.

5. Wolf (éd. 1580) ; Menzel (éd. 1840), p. 22 ; Diels (éd. 1879), p. 260 ; PUECH, *Les apologistes* (1912), p. 282 ; Bareille, « Hermias » (1947), col. 2304.

sion à la chute des anges[1]. L'œuvre n'appartient donc pas vraiment à ce genre littéraire auquel les tenants d'une date ancienne l'associent. Puech admet cet argument mais ne pense pas qu'il exclue une époque ancienne[2].

7. La manière frivole dont Hermias traite son sujet dénote un siècle où le christianisme n'avait plus à se défendre sérieusement contre des attaques païennes redoutables et pouvait jouir de sa victoire : Hermias pouvait ainsi se gausser des philosophes en amusant ses lecteurs chrétiens[3]. A quoi Diels ajoute l'affirmation assez subjective que l'échec d'Hermias dans son effort pour être drôle traduit le déclin culturel de son temps. «A mon avis, écrit-il, au IIe siècle, même un chrétien n'aurait pas fait d'aussi piètres plaisanteries[4].»

parenté littéraire

La datation de l'*Irrisio* dépend aussi des problèmes de parenté littéraire. Voici sur ce point les problèmes les plus importants :

1. Le rapport avec Tatien. Maran a signalé que Hermias procède d'une façon qui rappelle un passage de Tatien. Ce dernier, dans l'*Oratio* 25, exploite le conflit d'opinions entre philosophes grecs. Notre auteur se serait inspiré de ce passage et l'aurait développé[5]. Plusieurs critiques ont suivi Maran[6], mais Di Pauli, tout en reconnaissant les ressemblances, rejette la dépendance[7].

1. HARNACK, *Geschichte* II.2 (1904), p. 197.
2. PUECH, *Les apologistes* (1912), p. 282.
3. Menzel (éd. 1840), p. 19-20; Diels (éd. 1879), p. 260; HITCHCOCK, *Theol.* 32 (1936), p. 98 n.
4. Diels (éd. 1879), p. 261.
5. Maran (éd. 1742), p. 401.
6. SCHRAM, *Analysis*, vol. I (1780), p. 711 ; Diels (éd. 1879), p. 262 ; HITCHCOCK, *Theol.* 32 (1936), p. 103 (qui cite aussi *Oratio* 3) ; Bareille, «Hermias» (1947), col. 2304.
7. DI PAULI, *Irrisio* (1907), p. 37-40.

2. La relation avec la *Cohortatio* du Pseudo-Justin. Les écrivains qui attribuaient cet ouvrage au martyr Justin furent les premiers à remarquer les analogies avec l'*Irrisio*, et conclurent que Hermias dépendait de Justin[1]. Diels, conscient de l'inauthenticité de la *Cohortatio*, examina de plus près les passages parallèles et confirma la dépendance littéraire d'Hermias[2]. Plusieurs autres critiques ont adopté cette vue[3], mais Gaul, dans sa monographie sur le Pseudo-Justin[4], et Di Pauli[5] ont inversé la relation : pour eux c'est le Pseudo-Justin qui dépend d'Hermias. Di Pauli, datant la *Cohortatio* d'environ l'an 200, y voit un *terminus ad quem* pour l'*Irrisio*. Bardenhewer[6], par contre, estime qu'on ne peut établir la dépendance dans un sens ou dans l'autre, ni par rapport à une source commune. Alfonsi, lui, explique les ressemblances par une dépendance commune vis-à-vis d'un doxographe[7].

3. Lucien de Samosate. Freppel a comparé l'*Irrisio* à la satire des sectes philosophiques dans les dialogues de Lucien[8]. Di Pauli pense qu'Hermias dépend en fait de Lucien, ce qui lui fournit un *terminus a quo* pour la date de l'œuvre[9].

1. Maran (éd. 1742), p. 401 ; Schram, *Analysis*, vol. I (1780), p. 709-710 ; Menzel (éd. 1840), p. 27.

2. Diels (éd. 1879), p. 261-262.

3. Harnack, *Geschichte* I (1893), p. 782 ; Dräseke, *Wochenschrift für klassische Philologie* 13 (1896), col. 155 ; Loeschcke, « Hermias » (1912) ; Schmid et Stählin, *Geschichte* II.2 (1924), p. 1296 ; Hitchcock, *Theol.* 32 (1936), p. 106.

4. Gaul, *Cohortatio* (1902), p. 69-72.

5. Di Pauli, *Irrisio* (1907), p. 5-24.

6. Bardenhewer, *Geschichte*, vol. I (1913), p. 328. La thèse d'une source commune est aussi suggérée par Harnack, *Geschichte* II.2 (1904), p. 196-197.

7. Alfonsi, *Ermia* (1947).

8. Freppel, *Les apologistes*, vol. II (1860), p. 46-73 ; cf. aussi Bareille, « Hermias » (1947), col. 2304 ; Alfonsi, *Ermia* (1947).

9. Di Pauli, *Irrisio* (1907), p. 40-45, 53.

4. Némésius d'Émèse. Menzel a suggéré qu'Hermias dépendait de Némésius [1], mais Diels [2] et Di Pauli [3] rejettent cette hypothèse.

5. Théodoret de Cyr. Les ressemblances entre Hermias et lui ont amené Gale et Menzel [4] à décaler dans l'*Irrisio* l'influence de la *Curatio* de Théodoret, mais leurs arguments n'ont convaincu ni Diels [5], ni Di Pauli [6].

6. Énée de Gaza. Wendland, sensible aux similitudes entre l'*Irrisio* et le *Théophraste* d'Énée, y a vu une raison de placer Hermias au VIe siècle [7]. Inversement Di Pauli estime qu'Énée s'est inspiré d'Hermias [8].

7. Maxime de Tyr. Selon Kinstrand, les affinités de style, de matière et d'attitude entre Hermias et Maxime indiquent qu'ils étaient à peu près contemporains (seconde moitié du IIe siècle) et appartenaient à la même école de rhétorique [9].

Depuis Cave (1698) une grosse majorité de critiques situent Hermias au IIe ou début du IIIe siècle [10]. Cette solu-

1. Menzel (éd. 1840), p. 27.
2. Diels (éd. 1879), p. 262.
3. Di Pauli, *Irrisio* (1907), p. 46-49.
4. Menzel (éd. 1840), p. 27.
5. Diels (éd. 1879), p. 262.
6. Di Pauli, *Irrisio* (1907), p. 46-49.
7. Wendland, *ThLZ* 24 (1899), p. 180-181.
8. Di Pauli, *Irrisio* (1907), p. 46-49.
9. Kindstrand, *VigChr* 34 (1980), p. 347-350.
10. Parmi eux on compte : Maran (éd. 1742), p. 401 ; A. Caillou, *Collectio*, vol. 2 (1829), p. 207 ; Genoude, *Les Pères* (1838), p. 473 ; Freppel, *Les apologistes*, vol. II (1860) ; Otto (éd. 1872) ; Leitl, *Hermias* (1873), p. 5 ; Schaff, *History*, vol. II (1893), p. 742 ; Krüger, *History* (1897), p. 137-138 ; Krüger, « Hermias » (1950), p. 243 ; Di Pauli, *Irrisio* (1907) ; Puech, *Les apologistes* (1912), p. 280-282 ; Bardenhewer, *Geschichte*, vol. I (1913), p. 327-328 ; Rizzo, *Lo Scherno* (1929), p. VI-XIV ; K. Freeman, *Pre-Socratic Philosophers* (1946), p. 441 ; Alfonsi, *Ermia* (1947) ; Kindstrand, *VigChr* 34 (1980), p. 341-367. D'autres noms de critiques du XIXe siècle et du début du XXe partisans de cette datation sont cités par Di Pauli, *Irrisio* (1907), p. 3-4.

tion a été soutenue en particulier par Otto, Di Pauli, Rizzo, Alfonsi et récemment (avec de nouveaux arguments) par Kindstrand. Quelques-uns, cependant, pencheraient pour le IIIe ou le IVe siècle[1]. La renaissance du paganisme sous Julien a paru, entre autres périodes, offrir un contexte adéquat aux yeux de Ceillier[2] et Hitchcock[3] —. Harnack a apporté son soutien, qui a du poids, à une date post-constantinienne[4], tandis que Menzel[5] et Diels[6] défendent avec vigueur une datation du Ve ou du VIe siècle[7]. Remarquons-le : les seules discussions approfondies depuis 1900 sur ce point (celles de Di Pauli, Alfonsi et Kindstrand) sont favorables à une date remontant loin dans l'histoire, mais on a trop peu travaillé sur Hermias pour pouvoir parler d'un consensus des critiques contemporains à ce sujet.

l'origine

Peu de spécialistes ont estimé qu'on disposait d'éléments suffisants pour déterminer le lieu d'origine d'Hermias. Pour Puech, la localisation de Corinthe en Laconie (ch. I) supposerait que l'auteur habitait hors de la Grèce et venait peut-être de l'Orient[8]. Di Pauli, rejetant comme Otto ce

1. Worth and Gale (éd. 1700); THIENEMANN, *Hermias* (1828), p. 11-13. On trouvera une liste chez Wagenmann, « Hermias » (1879), p. 43. TENTZEL, *Exercitationes*, Paris (1692), p. 227, rapporte que certains auteurs avaient, avant son époque, situé Hermias au IVe siècle.

2. CEILLIER, *Histoire générale* (1740), p. 555.

3. HITCHCOCK, *Theol.* 32 (1936), p. 104.

4. HARNACK, *Geschichte* I (1893), p. 782-783 ; *Geschichte* II.2 (1904), p. 196-197.

5. Menzel (éd. 1840), p. 5-28.

6. Diels (éd. 1879), p. 259-262.

7. Ceux qui ont identifié Hermias avec Sozomène ont aussi accepté une datation du Ve siècle (voir plus haut). Le VIe siècle a été défendu par WENDLAND, *ThLZ* 24 (1899), p. 180-181, qui rapproche l'auteur de l'*Irrisio* d'Énée de Gaza et voit en lui le correspondant de Procope de Gaza.

8. PUECH, *Les apologistes* (1912), p. 282.

membre de phrase où il voit une glose, tient que l'*Irrisio* venait sans doute de l'Asie mineure[1]. Selon Kindstrand les affinités avec Lucien de Samosate et Maxime de Tyr suggèrent l'Orient[2].

On a parfois vu en Hermias un philosophe converti : « Il portait peut-être le manteau du philosophe avant sa conversion, et, ensuite, d'un coup il est passé d'une admiration enthousiaste à une aversion radicale envers la philosophie grecque[3]. » Kindstrand a récemment renouvelé cette hypothèse[4]. Il note qu'à la différence des œuvres des apologistes, l'*Irrisio* ne comporte aucun élément spécifiquement chrétien en dehors du titre et du premier paragraphe, et en conclut qu'elle aurait été écrite par un rhéteur non chrétien favorable aux philosophies sceptique et cynique (l'école cynique est la seule à ne pas figurer dans la série). Le titre et l'introduction auraient été ensuite ajoutés par un chrétien, et peut-être par l'auteur lui-même après sa conversion.

valeur

Les jugements sur le style, l'humour et la portée de l'œuvre ont grandement varié selon les critiques. Diels, si féru de philosophie grecque, a peu apprécié un écrivain qui se moquait des philosophes. Hermias lui semble un idiot, dépourvu de tout talent littéraire, et il déverse son mépris sur ses piètres plaisanteries[5]. Hermias n'a cependant pas manqué d'admirateurs. En 1740, Ceillier écrivait : l'*Irrisio* « est tout à fait ingénieuse, le style en est concis, fleuri et enjoué ; l'auteur y raille finement et y censure avec autant de force que de délicatesse »[6]. Genoude n'estimait pas

1. Di Pauli, *Irrisio* (1907), p. 51-52.
2. Kindstrand, *VigChr* 34 (1980), p. 350.
3. Neander, *General History* (1851), p. 429 ; cf. Hitchcock, *Theol.* 32 (1936), p. 104.
4. Kindstrand, *VigChr* 34 (1980), p. 350-353.
5. Diels (éd. 1879), p. 261.
6. Ceillier, *Histoire générale* (1740), p. 556.

moins le style et l'humour de Hermias (« La plaisanterie est partout d'un goût exquis »[1]). De même Freppel (« une des productions les plus originales de l'éloquence chrétienne au IIe siècle »[2]) et Hitchcock[3]. Di Pauli, pour sa part, souligne que, l'intention de Hermias étant de caricaturer les philosophes, on doit juger qu'il a réussi[4].

2. Influence et parenté littéraire

A. Allusions bibliques

Les allusions bibliques sont rares dans le texte mais significatives.

L'ouvrage commence par une citation de *I Cor*. 3, 19 : ὦ ἀγαπητοί « ἡ σοφία τοῦ κόσμου τούτου μωρία παρὰ τῷ θεῷ » (la sagesse de ce monde est folie devant Dieu). La manière d'introduire la citation, avec le participe γράφων précédant ὦ ἀγαπητοί, et λέγων rejeté à la suite, suggère qu'Hermias voit dans la formule ὦ ἀγαπητοί un élément de la citation et non un appel personnel aux lecteurs. On ne trouve, semble-t-il, de parallèle à cette adjonction de ὦ ἀγαπητοί à *I Cor*. 3, 19 ni dans les variantes des manuscrits bibliques, ni dans les références patristiques à ce verset. Elle paraît donc due à Hermias lui-même.

Ce point mis à part la citation concorde bien avec le texte grec du Nouveau Testament. Les différences se limitent à l'omission de γάρ (fort naturelle, puisque le verset est séparé de son contexte où il s'intègre à un argument plus long) et de ἐστιν. Les écrits patristiques de la haute

1. Genoude, *Les Pères* (1838), p. 473-474.
2. Freppel, *Les apologistes*, vol. II (1860), p. 77 ; cf. aussi p. 70-74.
3. Hitchcock, *Theol.* 32 (1936), p. 103.
4. Di Pauli, *Irrisio* (1907), p. 53.

époque[1] ont employé la citation avec de légères variations dans sa formulation[2]. Cette citation ne fournit donc guère d'informations concrètes sur le *Sitz im Leben* de l'auteur. Notons au passage que les écrivains qui ont utilisé ce verset ont tous écrit au IIe ou IIIe siècle (ou au plus tard au début du IVe). Tous l'emploient pour opposer la vérité du christianisme à l'incertitude des autres prétendues sources de vérité.

A première vue, l'*Irrisio* ne contient pas d'autres allusions bibliques. Cependant le chapitre 17, 12-20 présente une rencontre de mots révélateurs. Après avoir prétendu pouvoir mesurer l'univers, Hermias déclare qu'il va mesurer (μετρέω) les océans pour faire la leçon à Poséidon. Cela l'amène à assurer qu'il n'est pas homme à oublier la largeur d'une seule main (σπιθαμή, empan) dans son évaluation ; il connaît le nombre des étoiles, etc. ; il peut placer (ἵστημι) l'univers dans le plateau d'une balance (ζυγόν) et en déterminer le poids (σταθμός). Le vocabulaire ressemble de très près à celui d'*Isaïe* 40, 12 (LXX) : τίς ἐμέτρησεν τῇ χειρὶ τὸ ὕδωρ καὶ τὸν οὐρανὸν σπιθαμῇ καὶ πᾶσαν τὴν γῆν δρακί ; τίς ἔστησεν τὰ ὄρη σταθμῷ καὶ τὰς νάπας ζυγῷ ; (qui a mesuré les eaux dans le creux de sa main, fixé à l'empan les mesures des cieux, jaugé au boisseau toute la poussière de la terre, pesé les montagnes au crochet et les collines à la balance ?).

Isaïe et Hermias utilisent l'un et l'autre les termes μετρέω, σπιθαμή, ἵστημι, ζυγόν, σταθμός. Cet accord dans l'emploi très proche de cinq mots, dont trois (σπιθαμή, ζυγόν, σταθμός) ne sont guère courants, semble trop remar-

1. Cf. Clément, *Strom.* I, 50, 1 ; Tertullien, *Marc.* 5, 6, 12 ; *Praescr.* 7, 1 ; *Res.* 3, 3 ; *Spect.* 17, 6 ; Lactance, *Inst.* 3, 3, 16 ; 5, 15, 8 ; Arnobe, *Adv. Nationes* 2, 6.

2. Clément, par exemple, fait allusion à « la sagesse du monde » et non « de ce monde ». De même Tertullien (à trois reprises, bien qu'il emploie « ce monde » dans le passage cité dans la note précédente — *Marc.*). Lactance et Arnobe parlent de « la sagesse des hommes ».

quable pour être dû à une simple coïncidence. Ceci suggère grandement qu'Hermias avait le texte d'*Isaïe* 40, 12 présent à l'esprit.

Remarquons cependant qu'il ne s'agit pas du tout d'une citation. Deux des termes employés en commun le sont de façon tout à fait différente : σπιθαμή est chez Isaïe le moyen dont Dieu lui-même se sert pour mesurer l'univers (autrement dit c'est la largeur de la main de Dieu qui peut mesurer l'univers, de dimensions relativement modestes) ; pour Hermias le mot désigne la plus petite partie de l'univers (la largeur d'une main d'homme). En outre Isaïe emploie σταθμός pour « balance », tandis que chez Hermias le mot signifie le poids (du monde) indiqué par la balance[1]. Tout cela suggère une allusion relativement indirecte, comme si Hermias avait les mots d'*Isaïe* 40, 12 en mémoire, mais à un niveau semi-conscient ou subconscient. L'idée du verset peut avoir été évoquée par la référence à la mesure des océans (cf. les mots d'introduction chez *Isaïe*, τίς ἐμέτρησεν ... ὕδωρ, qui a mesuré l'eau [de la mer] ?) et ceci peut l'avoir incité à utiliser les mots du reste du verset.

Les auteurs patristiques de la haute époque citent *Isaïe* 40, 12 à propos de la puissance créatrice de Dieu[2], mais on ne relève évidemment chez eux rien de semblable à cet usage satirique du verset. De plus, l'allusion à Isaïe étant seulement indirecte, on ne peut déterminer avec précision la forme du texte connu d'Hermias ; rien cependant n'indique qu'il en ait connu un autre que celui de la Septante. L'allusion ne fournit donc aucun indice sur le *Sitz im Leben* de l'auteur. Son importance tient à ce qu'elle dénote chez Hermias une familiarité si grande avec l'Ancien Testament que le texte biblique pouvait influencer son expression de façon substantielle. Cela suggère très fortement un auteur

1. Les deux sens du mot sont attestés.

2. Ainsi *Barnabé* 16, 2 ; Irénée, *Haer.* 2, 30, 1 ; 4, 19, 2 ; Clément, *Protr.* 78, 2 ; *Strom.* V, 125, 1 ; Novatien, *Trin.* 3, 1 ; 30, 11.

chrétien (ou à tout le moins juif). L'*Irrisio* n'est donc pas foncièrement une œuvre non chrétienne tout juste christianisée par l'addition de *I Cor.* 3, 19 en son début[1].

B. Rapports avec l'ensemble de la littérature ancienne

On a dans le passé, nous l'avons vu, noté la possibilité de parenté littéraire entre Hermias et des auteurs des premiers siècles de notre ère : Lucien, Maxime de Tyr, le Pseudo-Justin, le Pseudo-Clément, Némésius d'Émèse, Théodoret de Cyr et Énée de Gaza. Chez les deux premiers, qui appartiennent au IIe siècle, on peut découvrir une communauté d'intérêt avec Hermias dans la description du désaccord entre les philosophes. Lucien, tout comme Hermias, cherche à les discréditer totalement : notre auteur peut donc fort bien lui avoir emprunté certaines idées et expressions[2]. Maxime, par contre, adopte une attitude plus positive envers les philosophes et toute ressemblance entre Hermias et lui peut tenir à leur dépendance commune à l'égard de la tradition doxographique. Entre le Pseudo-Justin du IIIe siècle et Hermias on note un lien littéraire indéniable[3] et tous deux s'appuient manifestement sur la tradition doxographique représentée par les *placita* d'Aetius. La comparaison entre les deux auteurs révèle cependant que le Pseudo-Justin tend à suivre sa source de plus près qu'Hermias. On serait donc porté à croire que, dans le passage en question, la dépendance est le fait du Pseudo-Justin. En outre ce dernier s'intéresse

1. Nous allons donc contre la thèse de J.F. KINDSTRAND, «The Date and Character of Hermias' Irrisio», *VigChr* 34 (1980), 341-357, qui conclut (p. 357) «que le traité ne fut pas à l'origine une œuvre d'apologétique chrétienne, et que le titre et l'introduction, seuls signes apparents d'une influence chrétienne, ont été ajoutés par la suite».

2. En particulier à l'*Icaromenippus* et à la *Vitarum auctio*.

3. Voir plus bas p. 33 s. Cf. *Irr.* 2, 1-6 ; PS.-JUSTIN, *Coh. Gr.* 7, 14.

avant tout à Platon, qui ne reçoit pas grande attention de la part de l'*Irrisio* : cela laisserait supposer qu'Hermias a écrit dans la période antérieure au renouveau d'intérêt pour ce philosophe. Une autre ressemblance frappante avec Hermias se trouve dans un passage des homélies du Pseudo-Clément[1]. Cela concorderait aussi avec l'idée que l'*Irrisio* existait au début du IIIe siècle. Parmi les écrivains postérieurs Némésius et Théodoret partagent l'intérêt d'Hermias pour les théories des Grecs sur la nature de l'âme, mais il n'est pas nécessaire de postuler une dépendance directe, vu leur usage commun de la tradition doxographique. On a voulu voir un parallélisme entre certains passages d'Hermias et le *Théophraste* d'Énée de Gaza, mais le ton général de cette œuvre est différent. Énée attaque le néo-platonisme de manière sérieuse et soutenue ; la brève discussion des vues diverses des philosophes de l'Antiquité sur la nature de l'âme ne sert qu'à introduire la part constructive de l'argumentation, et nous n'avons pas à en chercher la source ailleurs que dans la tradition doxographique.

Ainsi donc les écrivains du IIe siècle nous éclairent quelque peu sur le contexte intellectuel de l'*Irrisio* ; ses liens avec les œuvres du IIIe siècle fournissent de bonnes raisons de placer cette œuvre vers la fin du IIe siècle. Quant aux auteurs postérieurs, il n'existe pas d'indices définis d'une parenté, hormis celle due à l'emploi commun de la tradition doxographique[2].

1. *Irr.* 4, 8.9 ; *Hom. Clem.* I, 3.

2. Une étude beaucoup plus complète des rapports entre l'*Irrisio* et les autres auteurs patristiques (indépendamment de la tradition doxographique) doit paraître dans *Aufstieg und Niedergang der Römischen Welt* II/27/4.

C. Tradition doxographique

Nul ne discute qu'en un sens Hermias s'appuie sur ce que l'on désigne sous le nom de tradition doxographique, lui empruntant sans doute pratiquement tout ce qu'il a à dire sur les doctrines des philosophes grecs. Mais quelle est sa relation exacte avec cette tradition ? Ce point est loin d'être clair.

1. Après Cicéron tous ceux qui ont écrit sur l'histoire de la philosophie grecque, et surtout sur les présocratiques, disposaient de trois catégories principales de documents, sans parler des écrits des philosophes eux-mêmes, dans les cas assez rares où ils subsistaient. C'étaient : les collections des *Vies* (βίοι) des écrivains anciens, y compris les premiers philosophes. Dans ce genre littéraire, en vogue au début de la période hellénistique, mais remontant à Dicaerchos (dernier quart du IVe siècle av. J.-C.), les *Vies* représentaient différents styles de vie ; des textes sur les successeurs des philosophes — περὶ διαδόχων — issus de la Διαδοχή de Sotion d'Alexandrie (vers 200 av. J.-C.) ; et l'ensemble le plus important des trois nommé de façon pratique : la tradition doxographique.

2. La nature de cette tradition a été pour l'essentiel établie, une fois pour toutes par Hermann Diels dans ses *Doxographi Graeci*[1]. Diels a proposé la reconstruction suivante.

1. Berlin 1879 (voir aussi B. Wyss *s.v.* Doxographie, *RAC* 4 [1957-9] col. 197-210 ; J. Mejer, « Diogenes Laertius and his Hellenistic Background » *Hermes*, Einzelschriften Heft 40 [1976], 60-95).

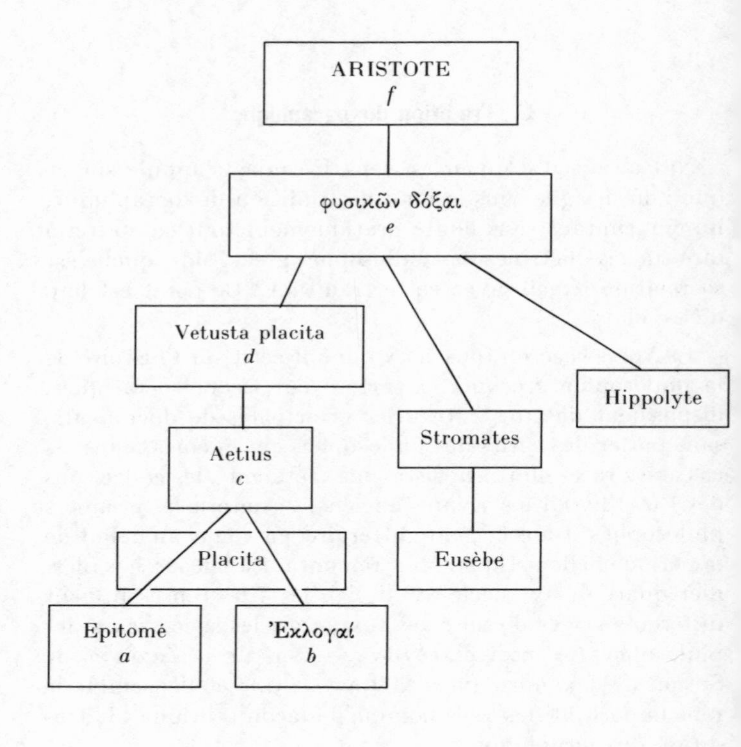

Deux ouvrages subsistent :

a un Épitomé ou vue d'ensemble, faussement attribué à Plutarque et, de ce fait, inclus dans ses *Moralia* sous le titre *De Placitis philosophorum*, Libri V[1]. Le texte remonte sans doute à 150 ap. J.-C. environ ;

1. Περὶ τῶν ἀρεσκόντων φιλοσοφοῖς φυσικῶν δογματῶν βιβλία ε′ (ou περὶ τῶν ἀρεσκόντων φιλοσοφοῖς δογμάτων ἐπιτομὴ βιβλία ε′) 874 d-911 c. L'ouvrage est appelé tantôt *Placita* du Pseudo-Plutarque, tantôt *Épitomé* du Pseudo-Plutarque. Pour l'édition la plus récente on se reportera à celle de Teubner.

b les φυσικαὶ ἐκλογαί contenus dans l'*Anthologie* de Stobée (ve siècle ap. J.-C. ?)[1].

a et *b* dépendent l'un et l'autre d'une collection disparue des *Placita* d'Aetius (sans doute vers 100 ap. J.-C.). Le nom d'Aetius figure chez Théodoret[2]. Selon Diels, Théodoret connaissait le titre de l'œuvre du Pseudo-Plutarque, mais ne l'a pas citée (*Dox.* p. 48) ; il s'est fondé exclusivement et directement sur Aetius (*ibid.*, p. 45 s.). Théodoret écrivait à une date assez tardive (peut-être 430 ap. J.-C.), mais c'était encore trop tôt pour utiliser *b*. Aetius *c* dépendait lui-même d'un ouvrage antérieur *d*, les *Vetusta Placita* de Diels. De tonalité stoïque accentuée, utilisé par Varron et Cicéron, il remontait au Ier siècle av. J.-C. Ce texte se fondait à son tour sur *e*, les φυσικῶν δόξαι de Théophraste, aujourd'hui perdus, en 16 ou 18 livres. Nombre d'auteurs tardifs ont emprunté leur matière à *c* ou *d*, mais beaucoup ont eu directement accès à l'œuvre originale de Théophraste *e*, sans passer par *c* ou *d*. Ainsi Hippolyte (vers 210 ap. J.-C.) l'a mis à contribution pour le livre I de sa *Refutatio Omnium Haeresium*. Il en fut de même de l'auteur de l'œuvre indûment attribuée à Plutarque sous le titre de *Στρωμάτεις,* lui-même utilisé par Eusèbe, *Praeparatio Evangelica* I, 7 (? vers 312 ap. J.-C.)[3]. Derrière Théophraste *e* figuraient finalement, non les traités, mais les théories mêmes d'Aristote où l'on ne doit pas normalement chercher des sources écrites directes de la tradition doxographique ; cette règle générale comporte cependant une exception *f*. Le *De Anima* d'Aristote (I, 2) recouvre, en effet, à un degré remarquable dans sa formulation le tableau des doctrines sur l'âme de la tradition doxographique.

1. Voir Stobée, *Anthologium*, Liber I Eclogae Physicae, ed. C. Wachsmuth, vol. I, Berlin (1884).
2. *Thérap.* IV, 31, etc.
3. Voir Diels, *Dox.* 577-583 et 156-161.

3. On a remarqué des affinités et des ressemblances, au moins sur des points particuliers, entre le texte d'Hermias et les écrits d'autres auteurs ; voir *infra*. Nous avons conclu qu'il n'existe en aucun cas de preuve satisfaisante pour soutenir qu'Hermias a emprunté ses matériaux à l'un de ces auteurs. La seule hypothèse valable est donc qu'Hermias a lui-même eu recours à la tradition doxographique. A quelle version? *a, b, c, d, e* ou *f*? La relation entre les différentes versions des matériaux qu'il utilise dans son chapitre 2 apparaît au mieux si l'on considère les parallélismes suivants :

HERMIAS, *Irrisio* 1 : οὐδὲ σύμφωνα οὐδὲ ὁμόλογα οἱ φιλόσοφοι πρὸς ἀλλήλους λέγοντες ἐκτίθενται τὰ δόγματα

PS-JUSTIN, *Cohort.* 7 : Οὐδὲ γὰρ ἐν τούτῳ συμφωνεῖν ἀλλήλοις προῄρηνται, ἀλλ' ὥσπερ τὴν ἄγνοιαν διαφόρως μερισάμενοι, καὶ περὶ ψυχῆς φιλονεικεῖν καὶ στασιάζειν πρὸς ἀλλήλους προῄρηνται

NEMESIUS, *De Nat. Hom.* 2 (Π. ψυχῆς) : Διαφωνεῖται σχεδὸν ἅπασι τοῖς παλαιοῖς ὁ περὶ τῆς ψυχῆς λόγος. Δημόκριτος μὲν γὰρ καὶ Ἐπίκουρος καὶ πᾶν τὸ τῶν στωϊκῶν φιλοσόφων σύστημα, σῶμα τὴν ψυχὴν ἀποφαίνονται. Καὶ αὐτοὶ δὲ οὗτοι, οἱ σῶμα τὴν ψυχὴν ἀποφαινόμενοι, διαφέρονται περὶ τῆς οὐσίας αὐτῆς

ARISTOTE, *De An.* A2 : Ἐπισκοποῦντας δὲ περὶ ψυχῆς ἀναγκαῖον ἅμα διαποροῦντας περὶ ὧν εὐπορεῖν δεῖ προελθόντας, τὰς τῶν προτέρων δόξας συμπαραλαμβάνειν ὅσοι τι περὶ αὐτῆς ἀπεφήναντο

THÉODORET, *Cur.* V : διὰ μὲν οὖν τούτων σαφῶς ἔγνωμεν, ὡς οὐ μόνον ἀλλήλοις, ἀλλὰ καὶ σφίσιν αὐτοῖς περὶ τῶν αὐτῶν ἐναντία γεγραφήκασιν.
Καὶ μέντοι καὶ περὶ τῆς ταύτης διαίρεσιν πλείστη γε τούτοις γεγένηται διαμάχη

EUSÈBE DE CÉSARÉE, *Prép. évang.* I, 7 : Τούτῳ δ' ἂν εὕροις συμφώνους καὶ τοὺς πλείστους τῶν παρ' Ἕλλησι φιλοσόφων, ὧν ἐγώ σοι τὰς περὶ ἀρχῶν | δόξας καὶ τὰς πρὸς ἀλλήλους διαστάσεις καὶ διαφωνίας, ἐκ στοχασμῶν, ἀλλ' οὐκ ἀπὸ καταλήψεως ὁρμηθείσας, ἀπὸ τῶν Πλουτάρχου Στρωματέων ἐπὶ τοῦ παρόντος ἐκθήσομαι

HERMIAS, *Irrisio* 2 : οἱ μὲν γάρ φασιν αὐτῶν ψυχὴν εἶναι τὸ πῦρ [Δημόκριτος]

PS-JUSTIN, *Cohort.* 7 : οἱ μὲν γὰρ αὐτῶν φασι πῦρ εἶναι τὴν ψυχήν

NEMESIUS, *De Nat. Hom.* 2 (Π. ψυχῆς) : Δημόκριτος δὲ πῦρ, τὰ γὰρ σφαιροείδη σχήματα τῶν ἀτόμων συγκρινόμενα, πῦρ τε καὶ ἀέρα, ψυχὴν ἀποτελεῖν

ARISTOTE, *De An.* A2 : Δημόκριτος μὲν πῦρ τι καὶ θερμόν φησιν αὐτὴν εἶναι· ἀπείρων γὰρ ὄντων σχημάτων καὶ ἀτόμων τὰ σφαιροειδῆ πῦρ καὶ ψυχὴν λέγει

PLUTARQUE, *Epit.* IV 3 : Δημόκριτος πυρῶδες σύγκριμα ἐκ τῶν λόγῳ θεωρητῶν, σφαιρικὰς μὲν ἐχόντων τὰς ἰδέας πυρίνην δὲ τὴν δύναμιν, ὅπερ σῶμα εἶναι

STOBÉE, *Ecl.* I 49 [41] 1 : Παρμενίδης δὲ καὶ Ἵππασος πυρώδη. Δημόκριτος πυρῶδες σύγκριμα ἐκ τῶν λόγῳ θεωρητῶν, σφαιρικὰς μὲν ἐχόντων τὰς ἰδέας, πυρίνην δὲ τὴν δύναμιν, ὅπερ σῶμα εἶναι.
Ἡρακλείδης φωτοειδῆ τὴν ψυχὴν ὡρίσατο.
Λεύκιππος ἐκ πυρὸς εἶναι τὴν ψυχήν.
Διογένης ὁ Ἀπολλωνιάτης ἐξ ἀέρος τὴν ψυχήν.

THÉODORET, *Cur.* V : Παρμενίδης δὲ καὶ Ἵππασος καὶ Ἡράκλειτος πυρώδη ταύτην κεκλήκασιν· ὁ δὲ Ἡρακλείδης φωτοειδῆ

HERMIAS, *Irrisio* 2 : οἱ δὲ τὸν ἀέρα [οἱ Στωικοί]

PS-JUSTIN, *Cohort.* 7 : οἱ δὲ τὸν ἀέρα

ARISTOTE, *De An.* A2 : Διογένης δ' ὥσπερ καὶ ἕτεροί τινες ἀέρα, τοῦτον οἰηθεὶς πάντων λεπτομερέστατον εἶναι καὶ ἀρχήν

PLUTARQUE, *Epit.* IV 3 : Οἱ δ' ἀπὸ Ἀναξαγόρου ἀεροειδῆ, ἔλεγον δὲ καὶ σῶμα

STOBÉE, *Ecl.* I 49 [41] 1 : Ἀναξιμένης Ἀναξαγόρας Ἀρχέλαος Διογένης ἀερώδη

THÉODORET, *Cur.* V : ὁ δὲ Ἐμπεδοκλῆς μῖγμα ἐξ αἰθερώδους καὶ ἀερώδους οὐσίας
Ἀναξιμένης δὲ καὶ Ἀναξίμανδρος καὶ Ἀναξαγόρας καὶ Ἀρχέλαος ἀερώδη τῆς ψυχῆς τὴν φύσιν εἰρήκασιν

HERMIAS, *Irrisio* 2 : οἱ δὲ τὸν νοῦν

PS-JUSTIN, *Cohort.* 7 : οἱ δὲ τὸν νοῦν

ARISTOTE, *De An.* A2 : ὁμοίως δὲ καὶ Ἀναξαγόρας ψυχὴν εἶναι λέγει τὴν κινοῦσαν, καὶ εἴ τις ἄλλος εἴρηκεν ὡς τὸ πᾶν ἐκίνησε νοῦς, οὐ μὴν παντελῶς γ' ὥσπερ Δημόκριτος. Ἐκεῖνος μὲν γὰρ ἁπλῶς ψυχὴν ταὐτὸν καὶ νοῦν

HERMIAS, *Irrisio* 2 : οἱ δὲ τὴν κίνησιν [Ἡράκλειτος]

PS-JUSTIN, *Cohort.* 7 : οἱ δὲ τὴν κίνησιν

NEMESIUS, *De Nat. Hom.* 2 (Π. ψυχῆς) : Θαλῆς μὲν γὰρ πρῶτος τὴν ψυχὴν ἔφησεν ἀεικίνητον καὶ αὐτοκίνητον

ARISTOTE, *De An.* A2 : ἔοικε δὲ καὶ Θαλῆς ἐξ ὧν ἀπομνημόνευσι κινητικόν τι τὴν ψυχὴν ὑπολαβεῖν

PLUTARQUE, *Epit.* IV 3 : Θαλῆς ἀπεφήνατο πρῶτος τὴν ψυχὴν φύσιν ἀεικίνητον ἢ αὐτοκίνητον

STOBÉE, *Ecl.* I 49 [41] 1 : 1. Θαλῆς ἀπεφήνατο πρῶτος τὴν ψυχὴν ἀεικίνητον ἢ αυτοκίνητον.
2. Ἀλκμαίων φύσιν αὐτοκίνητον κατ' ἀίδιον κίνησιν, καὶ διὰ τοῦτο ἀθάνατον αὐτὴν καὶ προσεμφερῆ τοῖς θεοῖς ὑπολαμβάνει.

THÉODORET, *Cur.* V : Θαλῆς τοίνυν κέκληκε τὴν ψυχὴν ἀκίνητον [ἀεικίνητον] φύσιν. Ἀλκμὰν δὲ αὐτὴν αὐτοκίνητον εἴρηκεν

HERMIAS, *Irrisio* 2 : οἱ δὲ τὴν ἀναθυμίασιν

PS-JUSTIN, *Cohort.* 7 : οἱ δὲ τὴν ἀναθυμίασιν

NEMESIUS, *De Nat. Hom.* 2 (Π. ψυχῆς) : Ἡράκλειτος δέ, τὴν μὲν τοῦ παντὸς ψυχήν, ἀναθυμίασιν ἐκ τῶν ὑγρῶν, τὴν δὲ ἐν τοῖς ζῴοις, ἀπό τε τῆς ἐκτὸς καὶ τῆς ἐν αὐτοῖς ἀναθυμιάσεως, ὁμογενῆ πεφυκέναι.

ARISTOTE, *De An.* A2 : Ἡράκλειτος δὲ τὴν ἀρχὴν εἶναί φησι ψυχήν, εἴπερ τὴν ἀναθυμίασιν, ἐξ ἧς τἆλλα συνίστησιν·

PLUTARQUE, *Epit.* IV 3 : Ἡράκλειτος τὴν μὲν τοῦ κόσμου ψυχὴν ἀναθυμίασιν ἐκ τῶν ἐν αὐτῷ ὑγρῶν, τὴν δὲ ἐν τοῖς ζῴοις ἀπὸ τῆς ἐκτὸς καὶ τῆς ἐν αὐτοῖς ἀναθυμιάσεως ὁμογενῆ

HERMIAS, *Irrisio* 2 : οἱ δὲ δύναμιν ἀπὸ τῶν ἄστρων ῥέουσαν

PS-JUSTIN, *Cohort.* 7 : οἱ δὲ δύναμιν ἀπὸ τῶν ἄστρων ῥέουσαν

ARISTOTE, *De An.* A2 : φησὶ γὰρ αὐτὴν ἀθάνατον εἶναι διὰ τὸ ἐοικέναι τοῖς ἀθανάτοις· τοῦτο δ' ὑπάρχειν αὐτῇ ὡς ἀεὶ κινουμένῃ· κινεῖσθαι γὰρ καὶ τὰ θεῖα πάντα συνεχῶς ἀεί, σελήνην, ἥλιον, τοὺς ἀστέρας καὶ τὸν οὐρανὸν ὅλον

STOBÉE, *Ecl.* I 49 [41] 1 : [Ἀλκμαίων φύσιν αὐτοκίνητον κατ' ἀίδιον κίνησιν, καὶ διὰ τοῦτο ἀθάνατον αὐτὴν καὶ προσεμφερῆ τοῖς θεοῖς ὑπολαμβάνει]

HERMIAS, *Irrisio* 2 : οἱ δὲ ἀριθμὸν κινητικόν [Πυθαγόρας]

PS-JUSTIN, *Cohort.* 7 : οἱ δὲ ἀριθμὸν κινητικόν

NEMESIUS, *De Nat. Hom.* 2 (Π. ψυχῆς) : Πυθαγόρας δὲ ἀριθμὸν ἑαυτὸν κινοῦντα

ARISTOTE, *De An.* A2 : ἀποφηνάμενοι τὴν ψυχὴν ἀριθμὸν κινοῦνθ' ἑαυτόν

PLUTARQUE, *Epit.* IV 3 : Πυθαγόρας ἀριθμὸν ἑαυτὸν κινοῦντα, τὸν δ' ἀριθμὸν ἀντὶ τοῦ νοῦ παραλαμβάνει

Stobée, *Ecl.* I 49 [41] 1 : Πυθαγόρας ἀριθμὸν αὑτὸν κινοῦντα, τὸν δὲ ἀριθμὸν ἀντὶ τοῦ νοῦ παραλαμβάνει.
Ὁμοίως δὲ καὶ Ξενοκράτης.
Ἵππων ἐξ ὕδατος τὴν ψυχήν

Théodoret, *Cur.* V : ὁ δέ γε Πυθαγόρας ἀριθμὸν ἑαυτὸν κινοῦντα· ξυνεφώνησε δὲ τῷ λόγῳ καὶ Ξενοκράτης

Hermias, *Irrisio* 2 : οἱ δὲ ὕδωρ γονοποιόν [Ἵππων]

Ps-Justin, *Cohort.* 7 : ἕτεροι δὲ ὕδωρ γονοποιόν

Nemesius, *De Nat. Hom.* 2 (Π. ψυχῆς) : Ἵππων δὲ ὁ φιλόσοφος ὕδωρ

Aristote, *De An.* A2 : τῶν δὲ φορτικωτέρων καὶ ὕδωρ τινὲς ἀπεφήναντο (sc. τὴν ψυχὴν εἶναι) καθάπερ Ἵππων

Hermias, *Irrisio* 2 : οἱ δὲ στοιχεῖον <ἢ> ἀπὸ στοιχείων

Aristote, *De An.* A2 : διὸ καὶ οἱ τῷ γινώσκειν ὁριζόμενοι αὐτὴν (sc. τὴν ψυχὴν) ἢ στοιχεῖον ἢ ἐκ τῶν στοιχείων ποιοῦσι

Hermias, *Irrisio* 2 : οἱ δὲ ἁρμονίαν [Δείναρχος]

Nemesius, *De Nat. Hom.* 2 (Π. ψυχῆς) : Δείναρχος δὲ ἁρμονίαν τῶν τεσσάρων στοιχείων, ἀντὶ τοῦ κρᾶσιν καὶ συμφωνίαν τῶν στοιχείων. Οὐ γὰρ τὴν ἐκ τῶν φθόγγων συνισταμένην, ἀλλὰ τὴν ἐν τῷ σώματι θερμῶν καὶ ψυχρῶν καὶ ὑγρῶν καὶ ξηρῶν ἐναρμόνιον κρᾶσιν καὶ συμφωνίαν βούλεται λέγειν

Aristote, *De An.* A2 : ἁρμονίαν γάρ τινα αὐτὴν λέγουσι καὶ γὰρ τὴν ἁρμονίαν κρᾶσιν καὶ σύνθεσιν ἐναντίων εἶναι καὶ τὸ σῶμα συγκεῖσθαι ἐξ ἐναντίων

Plutarque, *Epit.* IV 3 : Δικαίαρχος ἁρμονίαν τῶν τεσσάρων στοιχείων

Stobée, *Ecl.* I 49 [41] 1 : Δικαίαρχος ἁρμονίαν τῶν τεττάρων στοιχείων

Théodoret, *Cur.* V : Κλέαρχος δὲ τῶν τεσσάρων εἶναι στοιχείων τὴν ἁρμονίαν

Hermias, *Irrisio* 2 : οἱ δὲ τὸ αἷμα [Κριτίας]

Nemesius, *De Nat. Hom.* 2 (Π. ψυχῆς) : Κριτίας δὲ αἷμα

Aristote, *De An.* A2 : ἕτεροι δ' αἷμα (sc. τὴν ψυχὴν) καθάπερ Κριτίας, τὸ αἰσθάνεσθαι ψυχῆς οἰκειότατον ὑπολαμβάνοντες, τοῦτο δ' ὑπάρχειν διὰ τὴν τοῦ αἵματος φύσιν

Théodoret, *Cur.* V : Κριτίας δὲ ἐξ αἵματος εἶπε καὶ ἐξ ὑγροῦ

Hermias, *Irrisio* 2 : οἱ δὲ τὸ πνεῦμα
οἱ δὲ τὴν μονάδα [Πυθαγόρας]

Nemesius, *De Nat. Hom.* 2 (Π. ψυχῆς) : οἱ μὲν γὰρ Στωϊκοὶ πνεῦμα λέγουσιν αυτὴν ἔνθερμον καὶ διάπυρον

Plutarque, *Epit.* IV 3 : νοῦς μὲν οὖν ἡ μονάς ἐστιν· ὁ γὰρ νοῦς κατὰ μονάδα θεωρεῖ

Stobée, *Ecl.* I 49 [41] 1 : Πυθαγόρας τῶν ἀρχῶν τὴν [μὲν] μονάδα θεὸν καὶ τἀγαθόν, ἥτις ἐστὶν ἡ τοῦ ἑνὸς φύσις, αὐτὸς ὁ νοῦς

Théodoret, *Cur.* V : οἱ δέ γε Στωϊχοὶ πνευματικὴν πλείστου μετέχουσαν τοῦ θερμοῦ

Hermias, *Irrisio* 2 : καὶ οἱ παλαιοὶ τὰ ἐναντία

Aristote, *De An.* A2 : ὅσοι δ' ἐναντιώσεις ποιοῦσιν ἐν ταῖς ἀρχαῖς καὶ τὴν ψυχὴν ἐκ τῶν ἐναντίων

Théodoret, *Cur.* V : καὶ ἄλλοι (l. δη) [αὖ] ἄλλα λεληρήκασιν ἐναντία

4. Dans toutes les discussions précédentes sur les rapports entre Hermias et la tradition doxographique la question cruciale concerne sa relation avec la *Cohortatio ad Graecos* du Pseudo-Justin. Le débat a porté avant tout sur les parallèles entre (1) Hermias, ch. 2, et *Cohortatio*, par. 7, et (2) Hermias, ch. 11, et *Coh.*, par. 31. Dans son chapitre 2 Hermias énumère quatorze théories sur l'âme, y compris celle des Stoïciens, mais sans référence à Platon ni à Aristote. Diels[1] tient qu'Hermias a emprunté huit résumés au Pseudo-Justin, puis en a ajouté cinq autres (six en fait !) tirés de ses lectures, peut-être d'un manuel sur les philosophes — *velut philosophorum enchiridio*. Dans le cas de (2), Diels affirme qu'Hermias ignorait le Pseudo-Plutarque *a*, et ne s'appuyait que sur le Pseudo-Justin. Mais ce dernier avait « volé »[2] ses idées au Pseudo-Plutarque, *Ep.* II, 7, 4[3], en embellissant son livre de fioritures empruntées à cette source[4]. Diels admet pourtant que le Pseudo-Justin a *peut-être* tiré les matériaux de son paragraphe 7 directement du *De Anima* d'Aristote[5].

1. *Dox.* 261, 2.
2. *Dox.* 262.
3. *Dox.* 336.
4. *Dox.* 17.
5. I, 2, 405 b.

A cela on doit répondre que le Pseudo-Justin peut fort bien avoir fait des emprunts au Pseudo-Plutarque *a*, encore qu'il n'y ait au vrai aucun parallélisme entre le Pseudo-Plutarque, *Ep.* II, 7, 4, cité par Diels et le texte du Pseudo-Justin, ch. 11. Mais son analyse d'Hermias à propos du cas (1) du paragraphe ci-dessus pèche en ce qu'il oublie de signaler que les matériaux supplémentaires de l'*Irrisio*, absents du Pseudo-Justin, se fondent en fait sur le texte d'Aristote[1]. Hermias omet seulement la référence au πνεῦμα qui constitue évidemment une addition concernant les Stoïciens. Ceci résout le problème du passage corrompu du ch. 2 de l'*Irrisio* οἱ δὲ στοιχεῖον ἀπὸ στοιχείων qui, on le voit, doit se lire οἱ δὲ στοιχεῖον <ἢ> ἀπὸ στοιχείων (d'autres un élément <ou> un composé d'éléments). Il est donc raisonnablement certain, ou à tout le moins beaucoup plus vraisemblable, que l'ensemble du chapitre 2 d'Hermias provient de la principale tradition doxographique et nullement du Pseudo-Justin. Un examen de la série des passages parallèles aux «additions» d'Hermias au ch. 2 confirme cette vue. Le premier élément, στοιχεῖον ἢ απὸ στοιχείων, et le sixième, οἱ παλαιοὶ τὰ ἐνάντια (et les anciens disent qu'elle est faite d'éléments contraires), ne figurent en vérité que chez Aristote. Le second, οἱ δὲ ἁρμονίαν (d'autres ... une harmonie) apparaît chez Aristote (bien entendu sans l'addition postérieure et inutile du nom Dicaerchos ou de quelque nom semblable); il se trouve aussi chez Némésius, Stobée et Théodoret. Le troisième élément, οἱ δὲ τὸ αἷμα (d'autres ... le sang), se rencontre chez Aristote, Némésius et Théodoret; le quatrième, le terme stoïcien πνεῦμα (le souffle), chez Némésius, Théodoret et le Pseudo-Plutarque, et le cinquième, οἱ δέ τὴν

1. *Ibid.* 2, 405 b 13-14, 407 b 30-32, 405 b 5-3 — dans cet ordre.

μονάδα (d'autres... la monade), chez Aristote, le Pseudo-Plutarque[1] et Stobée[2]. Diels soutient avec vigueur et de façon convaincante que Stobée et Théodoret n'avaient eu accès qu'à Aetius, et non au Pseudo-Plutarque *a*. Il le dit aussi de Némésius mais sa thèse est contestée par W. Jaeger[3]. Pour ce dernier, Némésius s'appuie en fait sur le Pseudo-Plutarque *a*. Si donc il faut laisser Némésius de côté, il demeure néanmoins probable, vu les parallèles avec Stobée et Théodoret, que l'ensemble du chapitre 2 d'Hermias provient d'Aetius *c*. Reste un fait défini : l'ordre des huit premiers éléments (c'est-à-dire tout ce qu'ils ont en commun) chez Hermias et le Pseudo-Justin est bel et bien identique et ne se vérifie dans aucun autre texte. Tout cela peut aisément s'expliquer si l'on suppose que le Pseudo-Justin dépend d'Hermias et non l'inverse.

Diels tient aussi que le passage sur Platon au ch. 11 de l'*Irrisio* provient du Pseudo-Justin[4] et cette idée est acceptée par exemple par Gerhard Loeschcke[5]. Hermias et le Pseudo-Justin font tous deux allusions au *Phèdre*, 246 e, et tous deux appliquent à son auteur l'épithète μεγαλόφωνος, terme également employé par le Pseudo-Plutarque *a* en I, 7, 4. Hermias aurait donc fait des emprunts à *a* plutôt qu'au Pseudo-Justin. Mais la référence au chariot de Zeus chez Hippolyte[6] indique que la discussion du passage du *Phèdre* figurait déjà dans Théophraste *c*. Hermias aurait donc aussi bien pu la trouver dans Aetius *c*. Cette probabilité grandit si l'on remarque que le texte de Platon[7] comporte en fait μέγας ἡγέμων ἐν

1. I, 3, 3 = *Dox*. 232, 16.
2. I, 1, 13 = *Dox*. 302, 17-19.
3. *Nemesius von Emesa*, Berlin 1914, p. 11-21.
4. *Dox*. 262.
5. *RE* VIII (1912), 833, art. « Hermias ».
6. *Dox*. 568, 3.
7. *Phèdre* 246 e 4.

οὐρανῷ Ζεύς. L'omission de ἡγέμων après μέγας[1] se rencontre chez Hippolyte, le Pseudo-Justin et aussi chez Plutarque[2]. La grandiloquence du style de Platon en *Phèdre* 246 e avait déjà suscité un commentaire de Denys d'Halicarnasse (fin du Iᵉʳ siècle av. J.-C.). Dans son *Démosthène*[3], il compare assez longuement ce même passage avec Pindare, lui aussi qualifié par ailleurs de μεγαλόφωνος[4]. L'épithète μεγαλόφωνος peut donc avoir déjà figuré chez Aetius *c* où Hermias l'a probablement trouvée.

5. D'autres passages de l'*Irrisio*, en dehors du ch. 2, peuvent aussi apporter une contribution à notre question. En 10, 5-8 Hermias attribue à Anaximandre la théorie de l'ἀΐδιος κίνησις, absente de notre version *c*, c'est-à-dire d'Aetius I, 3, 3. Mais nous savons, ou pouvons au moins déduire d'Hippolyte, I, 6, 2[5] et de deux références de Simplicius[6] que cette doctrine était ainsi attribuée à Anaximandre dans Théophraste *e*[7]. Peut-être Hermias a-t-il emprunté directement ce passage à Théophraste *e* ou à Hippolyte, qui écrivait dans la première moitié du IIIᵉ siècle, ou à une source intermédiaire entre Théophraste et Hippolyte[8], voire même à Aetius *c* malgré son absence dans les textes *a* et *b*.

Le passage de l'*Irrisio* sur Protagoras[9] a également fait l'objet d'une discussion. Selon Hermias, a-t-on dit, Protagoras penserait que ce que personne ne perçoit n'existerait pas. C'est la position de Th. Gomperz[10], suivi par

1. Omission signalée par Diels, *Dox.* 568.
2. *Mor.* 1102 e.
3. Ch. 7, fin.
4. Athénée, XIII, 564 e.
5. *Dox.* 559.
6. *Dox.* 476, 15.
7. *Dox.* 133.
8. *Dox.* 144-146.
9. *Irr.* 9, 1-5.
10 *Die Apologie der Heilkunst*, Leipzig 1910, p. 162-163.

L. Alfonsi[1]. Pour ce dernier le texte d'Hermias signifie que «le monde extérieur existe seulement dans la mesure où il est créé par l'homme». Mais il s'agit sans doute d'une erreur d'interprétation. Hermias dit en fait que les πράγματα qui ne tombent pas sous les sens ne doivent pas être comptés au nombre des apparences de ce qui est. Telle est l'interprétation correcte de M. Untersteiner[2]. La position d'Hermias ne diffère donc pas substantiellement de la principale tradition doxographique et nous n'avons pas à supposer l'existence d'une source extérieure à cette tradition. Il reste cependant vrai que la formule de l'*Irrisio* est très proche de celle de Sextus Empiricus : τὰ δὲ μηδενὶ τῶν ἀνθρώπων φαινόμενα οὐδὲ ἔστιν[3] ; cela pourrait conduire à penser qu'Hermias aurait ici utilisé une source sceptique[4].

A propos du passage de l'*Irrisio* sur Phérécyde au ch. 12, Diels remarque[5] le parallélisme très marqué avec le commentaire sur Virgile attribué à Valerius Probus[6]. Se fondant sur une comparaison avec Sextus Empiricus[7], Diels soutient[8] que les deux textes dérivent d'un manuel sur Homère, peut-être écrit par Héracléon de Tilotis en Égypte (époque d'Auguste ?). Qu'il s'agisse du Pseudo-Probus ou d'Héracléon, la source demeure inconnue[9] : sans doute serait-ce une fois de plus la tradition doxographique au stade *d* ou au stade *e*. S'il en est ainsi, Hermias

1. «L'uomo di Protagora», *RSF*, 1 (1946), 320.
2. *Sofisti, testimonianze e frammenti*, fasc. 1, Florence 1949, note, p. 46.
3. *Pyrrh. Hyp.* I, 219.
4. Sur ce point, v. J.F. Kindstrand, *VigChr* 34 (1980), 352-353.
5. *Dox.* 263.
6. *Ecl.* 6, 31 (cf. *DK* 7 A 9). Ce texte a été attribué à Valerius Probus de Beyrouth (milieu du Ier siècle de notre ère, mais généralement regardé aujourd'hui comme postérieur).
7. *Adv. Mathem.* X, 313-318.
8. *Dox.* 91-99.
9. Cf. Gudeman, *s.v.* «Heracleon» 5, *PW* VIII, 1 (1912), col. 514.

pourrait avoir emprunté son information à la tradition doxographique plutôt que directement au Pseudo-Probus.

6. Nous devrions donc au total conclure qu'il n'existe aucune raison pour qu'Hermias n'ait pas eu directement accès aux œuvres de Platon et du corpus aristotélicien (dans la version d'Andronicus), s'il le voulait, mais on ne peut établir, à partir de son livre, qu'il en fût ainsi[1]. Pour le reste nous avons tout lieu de supposer qu'il a emprunté ses matériaux à la principale tradition doxographique — sans doute sous une de ses formes les plus anciennes, *c*, *d* ou *e* par exemple. En aucun cas, cependant, on ne peut prouver de façon absolue qu'il n'en ait pas eu connaissance par des intermédiaires inconnus de nous.

D. Situation dans l'histoire de la doctrine chrétienne

La seule doctrine proprement dite qu'on puisse glaner dans le court ouvrage d'Hermias consiste dans son attitude envers la philosophie. Hermias partage clairement une idée répandue chez les chrétiens bien avant le IVe siècle. A une lointaine époque, au début des âges, les hommes, croyait-on, avaient adressé à Dieu un culte pur et innocent ; ils le connaissaient alors avec clarté, mais cette innocence initiale s'était ensuite perdue[2]. Hermias suggère

1. L. ALFONSI, « Aristotele in Ermia, par. 11 », *Aevum* 32 (1958), 380-385, voit en 11, 6-8 une allusion aux doctrines d'Aristote en sa jeunesse. Il s'agit plus probablement d'une présentation à tendance stoïcienne des idées d'Aristote (cf. 12, 1-3) et de Platon, telles qu'elles apparaissent chez Aetius (*Dox.* 321). Le chapitre 18 a pu s'inspirer du *Timée* 31 (L. ALFONSI, « Nota ad Ermia », *Aevum* 38 [1964], 381), mais ne le copie pas.

2. R.P.C. HANSON, « The Christian Attitude to Pagan Religions up to the time of Constantine the Great » (*Aufstieg und Niedergang der Römischen Welt*, ed. H. Temporini and W. Hasse [Berlin 1980] II, 23 [2], 940-943) et dans les *Studies in Christian Antiquity* (Édimbourg 1985), 185-189.

que ce changement se produisit lorsque les anges déchus s'unirent à l'humanité et engendrèrent une espèce humaine nouvelle et hybride (*Gen.* 6, 1-4). Tel est sans doute le sens de sa formule en I 4, 5 = δοκεῖ γάρ μοι τὴν ἀρχὴν εἰληφέναι ἀπὸ τῆς τῶν ἀγγέλων ἀποστασίας (cette sagesse, en effet, me paraît avoir pris son origine dans l'apostasie des anges). C'est à partir de là, selon lui, que la connaissance de Dieu — en dehors de la révélation — se perdit et que surgirent à sa place des écoles philosophiques. Elles enseignaient toutes des doctrines différentes et contradictoires, si bien que nul ne pouvait déterminer la vérité au milieu du tintamarre de leurs théories rivales. En dépit de son ironie — assez remarquable car elle représente un des très rares exemples d'humour délibéré dans l'ensemble de la littérature patristique —, Hermias ne croit manifestement pas du tout à la philosophie dont toutes les formes lui paraissent également trompeuses. Sa position ressort avec évidence dans le dernier chapitre (19).

Il est assez facile de replacer cette attitude envers la philosophie dans l'histoire du christianisme primitif. Celui-ci n'est pas entré sérieusement en contact avec la philosophie grecque (à moins de voir en *Jean* 1, 1-4 un cas de ce genre) avant les apologistes du IIe siècle. Tous ces derniers, et en vérité tous les théologiens chrétiens à partir de cette époque, ont *utilisé* la philosophie. Mais ce que nous essayons de déterminer ici n'est pas leur façon de s'y prendre, mais leur jugement de valeur sur elle. De manière pratiquement unanime, les apologistes ont présenté le christianisme comme la vraie philosophie qui remplace toutes les autres. Très caractéristique est à cet égard le récit que brosse saint Justin martyr de son pèlerinage intellectuel dans son *Dialogue*. Il avait étudié toutes les philosophies existantes jusqu'au moment où il rencontra le christianisme. Alors, nous laisse-t-il entendre, il abandonna tout pour ce christianisme qui lui parut la vraie philosophie (ch. VII-VIII).

Une œuvre courte et concise, classée d'ordinaire parmi les apologies, la *Lettre à Diognète* (VIII, 2) porte ce jugement sommaire :

« A moins d'accepter les vanités et les sottises de ces beaux-parleurs de philosophes ! Les uns ont enseigné que Dieu, c'était le feu — ils appellent dieu ce feu auquel ils sont destinés ! Pour d'autres, c'est l'eau ou quelque autre des éléments créés par Dieu. Cependant, si l'une de ces doctrines était recevable, chacune des autres créatures pourrait au même titre être proclamée Dieu. Mais tout cela n'est que fable et mensonge de ces charlatans. »

Un autre apologiste, Tatien, assaille les philosophes en un langage encore plus vert[1]. Plusieurs auteurs ont en effet remarqué une similitude globale entre les attaques d'Hermias contre la philosophie grecque et celles de Tatien dans son *Oratio ad Graecos* (2-4) ; et certains, à la suite de Maran[2], ont supposé qu'Hermias avait dû s'inspirer en fait de la remarque de Tatien sur les contradictions entre philosophes grecs (*Oratio* 3, 25).

Certes, dans son rejet total de la philosophie grecque, Hermias ne ressemble à aucun auteur chrétien plus qu'à Tatien qui, en termes non douteux, condamne la philosophie avec la plupart des autres aspects de la culture hellénistique. Mais la polémique de Tatien insiste sur un autre point : il s'en prend d'abord aux motifs et au genre de vie des philosophes[3]. Son livre rappelle en cela la satire mordante de Lucien. Ce qu'il a à dire sur chacun en particulier se limite dans une large mesure à des anecdotes et à d'autres allusions peu flatteuses à propos de leur moralité[4].

1. *Oratio ad Graecos* (éd. et tr. Molly Whittaker, Oxford 1982) 2-4.
2. Édition d'Hermias, p. 401.
3. *Or.* 2-3 ; 19 ; 25.
4. *Ibid.* 2-3 ; 19.

Deux fois il accuse les philosophes de se contredire les uns les autres. Dans un cas il explique qu'ils prennent délibérément des positions opposées par aversion mutuelle et par vanité personnelle[1]. Dans le second passage, il oppose le désaccord entre les Grecs à l'harmonie entre les chrétiens[2]. Hermias n'utilise aucun des deux arguments, bien que le deuxième soit sans doute sous-jacent à tout son projet. En fait d'exemples spécifiques de désaccord Tatien ne cite que celui, assez banal, de Pythagore et d'Aristote sur l'immortalité de l'âme[3].

A la différence de Tatien, Hermias se borne de façon notable, dans sa polémique, au contenu intellectuel de l'enseignement des philosophes. Peut-être a-t-il lu l'*Oratio* et décidé de reprendre et de développer beaucoup plus à fond la thèse de Tatien sur les désaccords entre philosophes, mais cette hypothèse ne serait vraisemblable que si nous pouvions admettre une originalité marquée chez Tatien en ce domaine. Ce n'est pas le cas. Le type même de sa brève allusion à ce sujet suggère qu'il se contentait de répéter une critique classique : c'était évidemment l'arme traditionnelle des gens portés au scepticisme devant les prétentions des diverses écoles philosophiques[4]. La rivalité publique et acharnée entre les philosophes du temps, mis en scène dans les satires de Lucien, les exposait de plein fouet à cette accusation. Nombre d'auteurs chrétiens, plus ou moins bien disposés envers la philosophie, ont repris cette critique. Ainsi Justin[5], le Pseudo-Justin[6], Grégoire

1. *Ibid.* 3.
2. *Ibid.* 25.
3. *Ibid.* 25.
4. Pour des exemples tirés d'auteurs non chrétiens, voir N. ZEEGERS-VANDER VORST, *Les citations des poètes grecs chez les apologistes chrétiens du IIe siècle* (Louvain 1972), p. 118.
5. *II Apol.* 10.
6. *Coh. Gr.* 3, 6.

le Thaumaturge[1], Arnobe[2], Lactance[3], Tertullien[4], Athanase[5]. Au vrai, quand Tatien souligne le contraste entre le désaccord régnant entre les enseignements contradictoires des philosophes grecs et l'unanimité des chrétiens, il reproduit peut-être une observation de son maître Justin. Tout en appréciant avec générosité les grands philosophes du passé, Justin n'en remarquait pas moins, en effet, que leurs successeurs avaient abandonné la recherche de la vérité et s'en tenaient à répéter les doctrines particulières des fondateurs. Si la plupart de ceux qui prétendent au titre de philosophe connaissaient vraiment la philosophie, dit-il, ils ne se diviseraient pas en différentes écoles, puisque la philosophie est une[6]. Justin implique par là que le christianisme est la vraie philosophie, dans son unité harmonieuse, tandis que les écoles philosophiques grecques, par leur diversité même, témoignent qu'elles ne possèdent au mieux que des vues partielles de la vérité[7]. Tatien a aiguisé et étendu les critiques de son maître envers les écoles philosophiques.

Même si nous n'avons pas de raison sérieuse de supposer une relation littéraire entre Tatien et Hermias, leur ressemblance peut nous éclairer sur le contexte historique de l'*Irrisio*. Avec le bref passage de la *Lettre à Diognète*, 8, Tatien et Hermias sont les deux seuls écrivains chrétiens des origines à utiliser les désaccords entre philosophes pour

1. *Pan. Or.* 14.
2. *Nat.* 2, 10.
3. *Inst.* 7, 7 ; *Épitomé* 32.
4. *Apol.* 47, 5-9.
5. *Inc.* 50 ; *Decr.* 4.
6. *Dial.* 2.
7. Cf. CLÉMENT D'ALEXANDRIE, *Strom.* I, 57, 1 ; le PSEUDO-JUSTIN, *Coh. Gr.* 8, oppose le désaccord des philosophes à l'unanimité des auteurs de la Bible ; ATHANASE, *Decr.* 4, insiste sur le contraste entre ce même désaccord et l'unanimité des Pères.

rejeter en bloc la philosophie grecque[1]. Tous deux, à l'instar de Justin, se disent philosophes[2], non pas sans doute parce qu'ils avaient étudié la philosophie grecque avant leur conversion, mais parce qu'ils voyaient dans le christianisme la vraie philosophie[3]. Hermias, si le titre de l'œuvre est bien de lui, qualifie donc les philosophes grecs de τῶν ἔξω φιλοσόφων[4] : joli parallèle avec la manière, pour Tatien, de se qualifier ironiquement de ὁ *κατὰ βαρβάρους* φιλοσοφῶν[5]. Les deux expressions attestent l'effort du christianisme pour s'installer sur le marché des philosophes. La prétention décisive du christianisme d'être seul à connaître la vérité, qu'Hermias suppose et que Tatien explicite, se comprend dans le cas de Tatien par le fait patent qu'elle répond au mépris total des philosophes païens pour le christianisme. Leur opposition aux chrétiens était même le seul point sur lequel ils s'accordaient[6] Les prétentions intellectuelles du christianisme, en particulier, suscitaient le dédain du fait de sa nouveauté et de ses origines barbares (*Oratio* 35), comme on le voit aussi chez

1. ATHANASE, *Decr.* 4, semble aussi catégorique («les Grecs n'enseignent rien de vrai»). De façon générale il a bien du mal à admettre que ces philosophes aient jamais eu raison en quoi que ce soit (cf. *Inc.* 43, 7 ; *C. Arian.* 1, 34). A l'égard de Platon son plus grand compliment se borne à dire qu'il a «une si grande réputation chez les Grecs» (*Inc.* 2, 3 ; 43, 7) et sa méthode apologétique dans le *Discours contre les païens* consiste à discuter les points où il est en désaccord avec «les Grecs», sans jamais reconnaître explicitement des points d'accord, malgré sa dette évidente envers les idées platoniciennes. Sans doute cela vient-il de ce qu'il jugeait la philosophie platonicienne intimement liée à l'idolâtrie païenne.

2. TATIEN, *Or.* 42.

3. *Or.* 32 ; 35 ; 40.

4. L. ALFONSI, «Varia graeco-latina», *Vichiana* 5 (1976), p. 292, cite des textes parallèles sur cette façon de qualifier la philosophie païenne de Grégoire de Nysse et de Basile et estime que si le titre de l'*Irrisio* est original il représente le plus ancien emploi connu de la formule.

5. *Or.* 42 ; pour le sens de cette formule cf. *Or.* 35.

6. *Or.* 25.

Celse. L'hostilité d'un philosophe romain, Crescens, alla, semble-t-il, jusqu'à tenter de faire condamner à mort Justin et Tatien [1]. Cet antagonisme acharné nous donne le *Sitz im Leben* de la satire mordante d'Hermias, qui, à tout le moins, réussit à son tour à ridiculiser l'adversaire.

Tatien note que les philosophes grecs se contredisent mutuellement tandis que les chrétiens sont d'accord [2]. Il faut restituer ce point positif dans l'apologétique d'Hermias qui, quant à lui, le passe totalement sous silence. Cet argument peut paraître bizarre (dirait-on aujourd'hui que les chrétiens sont d'accord entre eux, alors que les marxistes s'opposent au libéralisme ?). Pourquoi les chrétiens ne seraient-ils pas à compter comme l'un des nombreux groupes qui prétendent détenir la vérité ? La réponse tient en partie à ce que le christianisme revendiquait une révélation unique en son genre, qui, pour ses fidèles, le mettait dans une classe à part. Il avait donc beau chercher à acquérir un statut d'école philosophique, il était en fait contraint de voir en lui-même l'unique philosophie véritable. Mais, de leur côté, les philosophes païens le rangeaient dans une catégorie différente, lui refusant sans plus ce statut d'école philosophique. Ainsi (un peu comme Lucien, mais pour d'autres raisons), Tatien et Hermias font face à tous les philosophes, les regroupant en une opposition chamailleuse mais unique, qui, par ses querelles mêmes, ruine sa cause face au christianisme. Cette apologétique portait, car beaucoup de gens d'alors cherchaient une doctrine capable de s'élever au-dessus des prétentions rivales dans la quête de la vérité.

Les premiers théologiens chrétiens de valeur en dehors des apologistes, ne témoignent pas de plus de sympathie pour la philosophie. Irénée s'en méfie : rien d'étonnant puisque les Gnostiques contre lesquels il a écrit son

1. Justin, *II Apol.* 3 ; Tatien, *Or.* 19.
2. *Or.* 25.

œuvre principale l'utilisent largement. Il évite et décourage la spéculation en dehors des limites de la règle de foi. Tertullien, pourtant très marqué par la philosophie stoïcienne, prétend ostensiblement tenir la philosophie à l'écart et, dans un passage fameux, proclame qu'il n'y a rien de commun entre Athènes et Jérusalem, entre la philosophie et le christianisme [1]. Hippolyte, dans la première moitié du IIIe siècle s'oppose à la philosophie séculière de façon encore plus décidée. La thèse de son *Elenchos* consiste à dire que toutes les hérésies chrétiennes viennent de ce que les fidèles se sont mêlés de philosophie.

Avec l'arrivée des chrétiens platonisants d'Alexandrie, Clément et Origène, l'attitude des théologiens envers la philosophie connut par contre un net changement. Tous deux étaient profondément imprégnés de platonisme sous sa forme «moyenne», qui associait souvent une métaphysique platonicienne à une morale et à une psychologie stoïciennes. Ils ne subordonnaient pas, bien entendu, le christianisme à la philosophie, et ne s'interdisaient pas de critiquer philosophie et philosophes. Mais ils manifestaient envers la philosophie grecque une attitude bien plus ouverte et plus compréhensive que leurs prédécesseurs. Ils ne prétendaient plus que le christianisme tenait lieu de philosophie et tendaient même — dans des circonstances favorables et avec certaines précautions — à voir en elle une alliée. Le plus grand intellectuel qu'ait produit l'Église avant Augustin, Origène, a produit une œuvre littéraire considérable et a exercé une immense influence sur son époque et les siècles suivants. Dans l'un de ses premiers livres majeurs, le *De Principiis*, il cherchait avant tout à montrer qu'il existait des éléments communs au christianisme et à la philosophie. Sa théologie, très personnelle et

1. *De la prescription contre les hérétiques, SC* 46, 3-13 et en particulier 9 *(quid Athenis et Hierosolymis? quid academiae et ecclesiae, quid haereticis et Christianis?).*

très sophistiquée, emprunte beaucoup d'éléments à la philosophie platonicienne : telles sa doctrine de la préexistence des âmes et sa croyance en un salut universel. Après Clément et Origène, l'attitude des chrétiens envers la pensée séculière demeura à jamais changée. Bien rares dès lors furent les théologiens à tourner décidément le dos à la philosophie ou à la science (deux réalités inséparables pour les Grecs de l'Antiquité), et à s'imaginer que le christianisme pouvait s'en passer.

Cet état d'esprit nouveau apparaît dans la vaste activité théologique du IVe siècle dont beaucoup de textes nous sont parvenus. Aucun théologien n'y accueille la philosophie sans esprit critique ; tous distinguent nettement révélation et spéculation humaine. On reproche toujours aux philosophes païens de se contredire les uns les autres — c'est un thème classique (cf. le *Discours contre les païens* d'Athanase et la *Thérapeutique des maladies helléniques* de Théodoret). Mais, hors de très rares exceptions comme le petit ouvrage tout simple du Pseudo-Anthime, *De Sancta Ecclesia* (vers 370), nul n'imagine sérieusement que tous les philosophes se livrent à une activité futile et tâtonnent dans le noir. On le voit clairement dans le *Traité du Saint Esprit* de Basile en Orient, et, en Occident, dans l'œuvre de Marius Victorinus qui écrit vers 360 et connaît fort bien le néo-platonisme. Les deux autres Cappadociens, Grégoire de Nazianze et Grégoire de Nysse, s'inscrivent dans la même ligne. Dès la fin du IVe siècle, il eût été impossible pour un théologien cultivé, écrivant en grec, d'opposer un *non possumus* à la philosophie. Au siècle suivant l'influence de la philosophie grecque tardive s'accrut encore. Augustin, par exemple, tout en reconnaissant lui aussi que la philosophie ne peut atteindre certaines vérités chrétiennes, doit beaucoup au néo-platonisme ; on pourrait même avancer que l'histoire de sa pensée théologique a consisté à s'en émanciper peu à peu. Du Pseudo-Denys, qu'il faut placer à cette époque et dont la pensée exerça une profonde influence sur la théologie de l'Église d'Orient, on pourrait sans exagérer dire qu'il fut plus platonicien que chrétien. A partir du milieu du IVe siècle on commence aussi a connaître et à apprécier plus largement l'œuvre d'Aristote. On ne voit plus en lui, comme on tendait à le faire au temps du moyen platonisme, un disciple excentrique de Platon dont l'œuvre ne représentait qu'une sous-variété de la pensée du maître.

Compte tenu de la comparaison de Tatien et d'Hermias, esquissée plus haut, et de l'histoire des rapports entre christianisme et philosophie, on peut aisément décider où placer l'*Irrisio*. Hermias n'a rien du journaliste aux effets faciles qui se moque d'une discipline dont il n'a qu'une connaissance superficielle. Il emprunte peut-être ses vues sur les philosophes qu'il raille à la doxographie, mais ses sources sont bien documentées. Sa langue et son style indiquent un homme cultivé. Il ne prend certes pas la philosophie grecque au sérieux, mais ne manifeste pas non plus une méconnaissance crasse. Pourtant sa position se révèle décidément hostile et négative. «J'ai donc exploré les théories de ces philosophes pour en montrer les contradictions, pour montrer combien leur recherche de la réalité est sans limite et sans fin, combien leur but est imprécis et vain puisqu'il ne s'appuie sur aucun fait évident, aucun argument clair» (19, 1-5). Il condamne tous les philosophes également. La seule école omise dans son énumération est celle des Cyniques, mais il n'y a pas de raison valable de croire à des sympathies de sa part envers eux. Il ne montre certainement aucune prédilection pour Platon ou Aristote ; il ne leur accorde ni plus ni moins d'attention qu'aux autres et ne les ménage pas davantage (11, 12). Au vrai, il règle son compte à Platon en moins de cinq lignes. Pendant un bref moment il se dit disciple d'Aristote (12, 2-3) mais l'abandonne bien vite. Fait surprenant, il consacre une bonne part de son court ouvrage aux présocratiques.

Il est donc à peu près impossible de placer Hermias aux IVe ou Ve siècles. Les similitudes entre son œuvre et celles d'auteurs du Ve siècle se sont révélées peu convaincantes.

L'*Irrisio* doit donc probablement dater de la seconde moitié du IIe siècle ou du début du IIIe, tout comme la *Lettre à Diognète* et les écrits de Tatien, Tertullien et Hippolyte. La légèreté de touche et le raffinement d'Hermias, dont ces auteurs étaient dépourvus, n'infirment en rien les solides raisons qui, vu son style et sa manière de traiter le sujet, le font placer à cette période.

CHAPITRE II

AUTEUR ET ŒUVRE
DATE

1. Langue et style

L'*Irrisio* tient son unité du but qu'elle poursuit : exposer au grand jour les désaccords entre les philosophes grecs. Elle manifeste aussi une unité de style, au moins en général, due à l'ironie spirituelle et enjouée de l'auteur. Hermias ne se classe pas du tout parmi les esprits les plus polémiques du christianisme. Il suppose gaiement que si deux philosophes s'opposent sur un point, tous deux doivent être dans l'erreur. Même en admettant ce parti pris, on peut l'accuser de se plaire, voire de se piquer à démontrer qu'il connaît fort bien les systèmes de ses victimes, mais aussi quantité de faits et légendes associés à leurs noms.

Pour alléger la critique, et peut-être bien lui donner plus de mordant, il use d'une lame acérée en adoptant un ton fort modeste d'ironie socratique. Tout au long de son traité il affecte un pitoyable désarroi devant les disputes des philosophes. A cette tactique il reste assez fidèle et ne s'en départit que dans les chapitres 1, 2, 3, 5 et ainsi qu'à certains égards, dans les chapitres 15 et 16 et dans la finale (ch. 19), où il se prend plus au sérieux et parle en critique compétent plutôt qu'en naïf aisé à duper.

A ce niveau global, on relève certaines caractéristiques de la langue qui contribuent à l'unité. Hermias possède bien les principes de la rhétorique grecque, même s'il l'utilise avec une plaisante légèreté. Dans la mesure où l'on peut se fier à la tradition manuscrite, sa syntaxe et sa morphologie semblent se conformer en général à la correction classique. Il fait preuve de grande maîtrise dans l'emploi de constructions variées, y compris l'usage de l'optatif, mais sans faire étalage de son art. Il écrit d'ordinaire une langue directe, avec des phrases courtes, peu de subordonnées et une préférence constante pour la coordination, avec ou sans asyndète.

Témoignent aussi de cette ironie légère et sûre d'elle-même les nombreuses métaphores et allusions, dûment choisies en fonction du philosophe étudié, et tournant autour du désarroi intellectuel engendré par la concurrence effrénée des maîtres pour recruter des disciples. Cependant tant de ses formules semblent l'écho d'écrivains antérieurs, Lucien et Platon en particulier, qu'il serait hasardeux de lui attribuer une grande originalité. Diels va jusqu'à lui dénier humour, esprit et toutes les autres qualités stylistiques ; il le traite, on l'a vu, d'«idiot dépourvu de talent littéraire», et voit dans ses «plaisanteries piteuses» «de vains efforts pour être drôle». Preuve supplémentaire, pense Diels, du «déclin culturel» de la période où écrivait l'auteur[1]. Pour juger avec objectivité du caractère littéraire de l'œuvre, il faut tenir grand compte des ressemblances et des contrastes entre Hermias et ses prédécesseurs.

Une différence générale consiste en ce qu'il évite les critiques personnelles et le genre caricatural si habituels chez d'autres, en particulier chez Lucien, l'auteur à tant d'égards le plus proche de lui. Dans un passage qui, implicitement, le distingue bien d'Hermias, Robinson résume ainsi la manière de Lucien :

1. *Dox.* 261.

« Il ne se met guère en peine de ridiculiser les doctrines, sauf dans l'*Hermotimos*, ouvrage dont l'ennui montre combien il a été sage d'éviter ailleurs cette façon de procéder. Il s'attache avant tout à l'individu et à ses faiblesses[1]. »

On pourrait en dire autant de Tatien. Di Pauli exagère les ressemblances entre Hermias, Lucien et Tatien.

Il est toujours difficile d'apprécier l'humour littéraire d'une autre époque. La question restée sans réponse à propos de notre auteur est peut-être de décider s'il est drôle ou non, et, si oui, de cerner son type précis d'humour. Pour avancer sur ce point il nous faut examiner l'*Irrisio* de plus près. Cette étude nous révélera aussi la variété stylistique qui caractérise Hermias au niveau du détail.

a) Tactique critique.

Un des éléments importants du traité consiste à utiliser souvent des citations entières de la tradition doxographique. Ces références ont, dans bien des cas, une importance considérable pour attester cette tradition. Malgré son peu d'estime pour le style d'Hermias, Diels donne pour cette raison place à l'*Irrisio* dans ses *Doxographi Graeci*. A eux seuls ces passages représentent environ un quart de l'ouvrage (30 % si on inclut le ch. 16 dans le calcul, 20 % autrement).

Le chapitre 2, à l'exception de la dernière phrase, doit à coup sûr entrer dans cette catégorie. Dans la mesure où il s'agit de citations directes, soit des philosophes eux-mêmes, soit de doxographes antérieurs à l'*Irrisio*, ces emprunts nous éclairent peu sur le style personnel d'Hermias. Néanmoins, l'antithèse y tient une place si notable dans la plupart des cas que, même si ce sont des citations littérales, cela laisserait supposer chez Hermias une pré-

1. Christopher Robinson, *Lucian and his influence on Europe* (London 1929), p. 31.

dilection marquée pour cette figure de style. L'index des mots contient 29 emplois de μέν et 76 de δέ dans les 19 chapitres de ce court traité (notre texte ajoute un μέν et deux δέ en 3, 5). Cette prédominance de l'antithèse amène parfois Hermias à omettre de compléter la formule (v. par exemple les μέν solitaires en 4, 1 ; 6, 2 ; 12, 5 ; 17, 15 ; 19, 1).

C'est dans les intervalles entre les citations ou les résumés de doctrines que l'on découvre l'apport le plus personnel de l'auteur. Sa tactique critique va de l'attaque directe à l'ironie. Les attaques directes remplissent cinq chapitres (1, 2, 3, 5 et 19) ; la dernière phrase du chapitre 15 appartient aussi à ce groupe. Le type de critique par ironie revêt cinq formes distinctes.

b) Critique directe.

Le chapitre premier présente une critique théologique de « la sagesse de ce monde » : il constitue la seule partie spécifiquement chrétienne du traité. Le chapitre 2 donne un résumé doxographique classique sur la nature de la ψυχή (originellement, si notre interprétation de la tradition textuelle est correcte, il n'attribuait pas nommément ces théories à leurs auteurs).

Le chapitre 3 use du sarcasme pour souligner le désaccord sur les valeurs suprêmes et sur le sort de l'âme après la mort. Il conclut par le contraste assez usé entre l'insignifiance de l'homme et l'immensité de l'univers qu'il aspire à comprendre. Le chapitre 5 tâche de faire durer le plaisir à partir d'une incongruité semblable, et prête ainsi le flanc au reproche de redite. Une répétition du même genre dans les chapitres 3 et 4 laisse planer un doute sur les intentions de cette partie de l'ouvrage. Des problèmes structurels similaires se posent à propos des chapitres 15 et 16 et du chapitre 19. Les deux chapitres 15 et 19 se terminent par des déclarations où, dans le style de l'épistémologie sceptique, Hermias formule sa thèse centrale sur l'inanité de la philosophie grecque.

c) L'accumulation : forme d'ironie.

Le passage le plus animé peut-être de l'*Irrisio*, le chapitre 4, comporte une personnalisation vivante de la multiplicité étourdissante des théories sur la nature de l'âme. Les différentes conceptions adoptées par Hermias s'y présentent sous forme d'une série de transformations rapides de l'âme elle-même. Cette méthode porterait davantage si l'auteur n'avait pas déjà usé d'un procédé très semblable, sans employer toutefois la première personne, dans le chapitre précédent. Quoi qu'il en soit, le bombardement rapide, à coup de vues opposées, menace de laisser le lecteur aussi hors d'haleine que l'auteur.

d) Les métaphores.

L'ensemble des chapitres 6 à 15 forme le gros de l'ouvrage. Y défilent, sans ordre très évident, des philosophes qui enseignent à un Hermias toujours aussi naïf une série de théories sur les premiers principes (ἀρχαί). La tactique littéraire essentielle consiste ici à mettre en œuvre ironie et métaphores autour du thème central : le recruteur et sa proie.

Cette proie, Hermias en l'occurrence, annonce ses multiples conversions à la première personne. Il s'exprime de façon modeste, en homme las du monde. S'il ne cesse de recourir aux métaphores, il s'agit presque toujours de clichés. Il réserve une large part de son langage le plus animé à tracer un portrait haut en couleur de tous ces «prédicants» à l'assurance enthousiaste, qui se disputent son attention. Au fil de ses conversions successives il manifeste sa bonne volonté inconfusible à adhérer à la dernière théorie — mais toujours avec ironie, bien conscient d'être une proie toute désignée pour le prochain beau parleur.

On relève des métaphores assez bien choisies d'agression (par ex. 6, 2 ; 6, 13 ; 9, 1), de rivalité (par ex. 8, 1 ; 11, 7), de proclamation (par ex. 6, 9 ; 7, 2 ; 11, 3), mais aucune ne peut prétendre à une grande originalité, même si l'on tient compte de la sensibilité antique qui était bien moins blasée devant l'usage symbolique du langage : ἐμβριμάομαι (8, 1) figure cinq fois dans les évangiles (*Matth.* 9, 30 ; *Mc* 1, 43 ; 14, 3 ; *Jn* 11, 33 ; 11, 38), μεγαλόφωνος (11, 3) semble un écho de la tradition doxographique concernant Platon. Le verbe ζηλοτυπέω (11, 7, cf. 12, 8) ne paraît qu'une fois dans l'index de Diels-Kranz [1], mais — détail assez intéressant — à propos de la rivalité entre Phérécyde et Thalès, donc dans le même contexte que dans l'*Irrisio*.

Un autre groupe de métaphores traduit l'enthousiasme du néophyte pour chaque philosophie nouvelle à laquelle il se laisse gagner (par ex. 6, 6 ; 7, 7 ; 13, 2). Chacune des images est très ordinaire, mais l'effet cumulatif de la série crée une impression de drôlerie enjouée qui imprègne cette section.

Une ou deux métaphores plus expressives se détachent du groupe final qui décrit la souffrance et le désarroi du malheureux, entraîné dans le tourbillon intellectuel. Absentes des premiers chapitres de cette section, les images de ce type surgissent au chapitre 12 avec κεκμήκαμεν (nous sommes épuisés), ὀχλείτω (me troubler) et le mot le plus frappant du traité νευροκοποῦσι (me coupent les jambes ; certains éditeurs lui ont dans le passé substitué νευροσπαστοῦσι, « manipulent », cette correction peu convaincante n'affecterait peut-être pas la validité de notre remarque). — Viennent ensuite μεθύω (font tourner la tête, 13, 10) et ταλαιπωρήσας (alors que je me suis donné tant de peine, 15, 7) qui produisent un effet similaire.

La perplexité intellectuelle créée par le conflit des arguments et des théories a souvent suscité des images pittoresques dans les textes philosophiques. Platon pourrait peut-être prétendre à une certaine originalité dans ce

1. *DK* I, 44, 10.

domaine[1], mais la tradition resta longtemps florissante[2]. Hermias ne présente donc aucun élément qui n'appartienne déjà fermement aux clichés de la rhétorique philosophique grecque.

Cette section du traité se distingue par sa construction très proche du dialogue. Chaque philosophe a droit à une brève exposition de ses idées sur les principes ultimes, en style direct ou indirect. Hermias formule alors sa réaction, toujours à la première personne, tantôt en apostrophant le philosophe en scène, tantôt en s'adressant au lecteur. Ses remarques témoignent de beaucoup d'esprit. La phraséologie s'adapte joliment aux différents maîtres (ainsi 7, 1 ; 7, 6-7 ; 8, 7 ; 9, 5). Le chapitre 13 nous invite à rire avec Démocrite, connu sous le sobriquet traditionnel de philosophe-qui-rit, mais — catastrophe ! — survient Héraclite en larmes selon une autre appellation courante[3]. Le chapitre 14 contient une allusion fort claire à une plaisanterie habituellement attachée, dans la tradition doxographique, au nom de Cléanthe (cf. φρέαρ, un puits).

e) Se moquer de soi-même.

La troisième forme d'ironie critique chez Hermias apparaît dans les chapitres 17 et 18. Là encore, il parle à la première personne et au présent, mais comme s'il rapportait, au coup par coup, un voyage imaginaire pour mesurer l'univers. On pense tout de suite à Lucien[4] et à Maxime de Tyr, mais l'idée remonte bien plus loin, jusqu'aux *Oiseaux* d'Aristophane. Ce même thème revient, sous forme d'éloge

1. *Phédon* 90 c, *Cratyle* 411 b, *République* 508 d.
2. Voir par exemple Lucien (*Herm.* 28, 30, *Nigr.* 35) ou Énée de Gaza (*Dial.* 9, 2).
3. Cf. Juvénal, *Satires* 10, 33.
4. Par exemple *Icaromenippos, Vera Historia.*

très sérieux, chez Lucrèce qui célèbre à son de trompe le voyage d'Épicure aux *flagrantia moenia mundi*[1].

Dans cette partie de l'*Irrisio* l'auteur n'accorde qu'une remarque à Épicure (18, 2 s.) et se parle à lui-même une fois (18, 6 s.). Il traite le reste de cette section de façon narrative, et se moque de lui-même avec une ironie subtile de quatre manières différentes.

Le chapitre 17 commence par un portrait classique du philosophe qui, tel Socrate[2], sacrifie ses responsabilités familiales à sa mission. Mais très vite Hermias substitue à cette peinture du fanatisme aveugle celui de la mégalomanie blasphématoire. Malheureusement le texte est ici (17, 6 s.) si corrompu que nous ne pouvons suivre avec précision sa tactique pour ridiculiser en sa propre personne, l'arrogance souvent absurde de la philosophie. Il s'efface, dirait-on, derrière cette caricature, même à la fin du chapitre où il prétend pouvoir peser l'univers. Cette allusion satirique au danger de pédantisme inspire aussi sans aucun doute la promesse (17, 17) de mesurer l'univers avec une précision de l'ordre de «la largeur d'une main». Le quatrième trait au chapitre 18 crève la baudruche de la mégalomanie, lorsque nous abordons la théorie épicurienne des mondes infinis. (Notre traduction doit évoquer à la fois «univers» et «monde» pour rendre le grec κόσμος. Hermias tire un bien meilleur effet de ce qui représente un calembour sur l'ambiguïté du mot.)

Cette tactique assure évidemment le succès à la critique d'Hermias. Il n'aurait guère pu imaginer meilleur moyen de conclure son attaque sur l'inanité de la philosophie. Dans les dernières phrases du chapitre 18, il présente un double contraste. L'ordre de grandeur macroscopique de l'espace épicurien ressort d'autant plus en face des détails microscopiques requis par la théorie atomique d'Épicure. Et la dernière phrase du chapitre, sans avoir l'air d'y tou-

1. 1, 72 s. *et passim*.
2. Cf. PLATON, *Apologia* 31 b.

cher, oppose, avec plus d'adresse encore, l'impuissance du philosophe devant ce gouffre infranchissable à l'urgence des problèmes de physique qui, pour les Stoïciens et les Épicuriens, commandent l'ensemble de l'éthique.

Toute cette ironie critique sous des formes diverses contribue à amuser le lecteur. Sans plus. Car Hermias ne fait guère preuve d'originalité, même s'il possède un charme indéniable et très personnel, dans son art de fondre au service de son ironie beaucoup d'éléments connus, d'origines très variées. Il se classe à part par la façon détachée et détendue dont il présente les points faibles de ses personnages. Qualité bien rare dans les controverses philosophiques, et plus encore théologiques, de tous les temps!

f) La géométrie pythagoricienne.

Le chapitre 16 se distingue du reste du traité : il n'appartient ni au genre ironique ni à celui de la critique sérieuse. C'est le seul passage où Hermias prend le temps d'exposer ce qu'il faut appeler les détails techniques d'une philosophie, le Pythagorisme. Ces aspects dépassent de loin les connaissances communes et remontent en dernière analyse au *Timée* de Platon[1]. On est en tout cas surpris au premier abord, après la dernière phrase du chapitre 15, de découvrir qu'il reste encore des philosophes à entendre. Le chapitre se clôt par un saut non moins étonnant de la géométrie théorique des éléments aux mathématiques appliquées de l'exploration cosmique.

Le vocabulaire appartient ici au langage des mathématiques, en particulier de la géométrie, mais avec un élément d'arithmétique fondamentale (16, 19) qui semble original. Faut-il voir là un indice des intérêts philosophiques de l'auteur ou de la nature de ses sources immédiates? De toute façon le propos demeure obscur et ne s'accorde guère avec le but du reste du livre.

1. Cf. Appendice IV, p. 133.

g) Les procédés de style.

Si l'on passe à la technique stylistique, il est clair que la rhétorique d'Hermias, utilisée avec discrétion pour mettre le message en valeur, témoigne d'une grande familiarité avec les exercices d'école. On a déjà mentionné antithèses et métaphores. Citons ici quelques autres figures classiques de mots et de pensée. Une lecture attentive de l'*Irrisio* en révèlera bien d'autres. L'analyse stylistique s'intéresse à tous les traits distinctifs de la langue d'un auteur. Les cas énumérés ci-dessous relèvent-ils tous d'une intention déterminée ou non? On ne saurait toujours en décider. Voici en tout cas quelques exemples parmi les plus notables :

(a) Allitération : 4, 4 s. ; 13, 1 s. ; 14, 5 s. ; 16, 1 s. ; 16, 2 s. ; 17, 4 s. ; 19, 3-4.
(b) Aposiopèse : 18, 12 s. ; cf. nos leçons en 4, 6 s. ; 18, 18.
(c) Apostrophe : 8, 6 ; 14, 4 s.
(d) Doublet : 1, 6 ; 4, 3 ; 7, 3 ; 7, 4 ; 9, 2 ; 19, 3.
(e) Répétition : 2, 7 ; 4, 9 s. ; 4, 11.
(f) Déclinaison (répétition d'un mot à différents cas) ch. 16 *passim*, rare dans le reste du texte.
(g) Interrogations : 2, 7 ; 4, 1 ; 10, 4 ; 11, 5 ; 12, 3 ; 13, 1 ; 15, 6 s. ; 18, 12, et sans doute 18, 14.
(h) Homoiotéleuton : 2, 7 s. ; 4, 1 s. ; 11, 10 s. ; 13, 9 s. ; 18, 5.

Dans la mesure où la rhétorique se borne à codifier des formes naturelles du langage, on risque d'attribuer trop de maîtrise à Hermias en ce domaine. *Ars est celare artem.* Hermias écrit-il relativement sans art ou est-il très habile ? Il n'est pas facile de trancher, mais cette difficulté même indique quel genre de grec il emploie. La comparaison avec d'autres auteurs, en particulier avec l'étalage de rhétorique des écrivains latins de son époque ou d'une période légèrement antérieure montrera une fois de plus que son succès tient pour les neuf dixièmes à sa sobriété.

h) Vocabulaire.

Dans un article des *Vigiliae Christianae* (1980), J. F. Kindstrand a tenté d'analyser la langue et le style de l'*Irrisio* pour dater l'ouvrage. Le vocabulaire joue un rôle important dans sa démonstration. Pour lui Hermias appartient « au mouvement classiciste qui a dominé à partir du Ier siècle ap. J.-C. » (p. 345). L'autre argument principal de Kindstrand concernant la datation haute repose, on l'a vu, sur la ressemblance entre Hermias et Maxime de Tyr.

Kindstrand prend soin de souligner les limites de sa démonstration. La brièveté de l'*Irrisio* rend incertains les arguments stylistiques (p. 341). A sa liste de 16 ou 17 mots « classiques » du vocabulaire du traité il oppose une autre de 21 termes qualifiés d'hellénistiques et de certainement non classiques (p. 342 s.). Il a bien conscience qu'Hermias utilise dans une très large mesure des matériaux de seconde main. Malgré tout, cependant, il conclut par des généralisations hâtives. Même si ces arguments ne présentaient pas tant d'ambiguïté, le problème de la datation entre 200 et 400 ap. J.-C. exigerait une démonstration plus probante.

Remarquons seulement que les mots des deux listes sont tous d'un emploi courant à partir du IIe siècle, sinon plus tôt. Certains proviennent de la tradition doxographique (ainsi ἀεικινητός, ὀχέω [s'agissant de la terre], ἀναθυμίασις, ἀραιότης, λεπτομέρης, περίγειος). D'autres semblent tirés d'un fonds commun du vocabulaire grec chrétien (tels ἀποστασία, ἐμβριμάομαι, προκύπτω, συμφυλέτης). S'il fallait définir le caractère dominant du lexique de l'*Irrisio*, nous dirions qu'il appartient au registre de la familiarité aisée. Sur un total à peine supérieur à 500 mots, non compris les noms propres, classés dans l'index, une demi-douzaine seulement ne font pas partie du vocabulaire grec ordinaire, technique, philosophique, mathématique, ou des termes bibliques. Kindstrand mentionne quatre mots « employés pour la première fois par Hermias ou par lui seul » :

ἁρματοποιία, γονοποιός, ἐμψυχόω, ἐνσωματόω. On pourrait généreusement ajouter à ce choix de mots non courants ἄλυσις (si l'on accepte notre correction en 3, 5), ἀποθηριόω, διασυρμός (si le titre est original — ce mot est sans doute un terme technique de la rhétorique désignant une sorte de «caricature»), ἐπισιτίζομαι, μεγαλόφωνος, μεθαρμόζω, νευροκοπέω, ὁμογνωμόνως, παροικέω, σπιθαμή, τιθασός. Même avec ces datations la liste reste brève. Les quatre mots non attestés avant Hermias et cités par Kindstrand représentent des composés très ordinaires : Hermias n'en a sans doute créé aucun.

Sa langue semble avant tout pleine de réminiscences, mais — déception ! — ne renvoie clairement à personne en particulier. Il paraît avoir lu le *Phèdre* de Platon (comme beaucoup d'autres auteurs de son époque), l'*Icaromenippos* de Lucien (par ex. 6-10), les épîtres du Nouveau Testament (en particulier *Romains* 1, *I Corinthiens*, *Colossiens* 2, *II Timothée* 3, et *II Pierre*), Sextus Empiricus *(Adv. Mathem.)* et peut-être la 1re *Réfutation* d'Hippolyte. Mais si l'on y regarde de plus près, les mots qui donnent cette impression semblent dans une large mesure appartenir à un vocabulaire d'usage courant. Bref, on retrouve chez Hermias — mais avec une certaine fraîcheur et beaucoup d'enjouement — la rhétorique assez usée de la polémique doctrinale : πλάνη, σκότος, ἀλήθεια, ψεῦδος, ἀπάτη, βεβαιόω, μῶρος. Impossible à partir de là d'identifier des sources.

Trois mots paraissent offrir plus de prise : les termes épistémologiques φαντασία (traduit «imagination» en 15, 5 et en 18, 14) et plus particulièrement ἀκατάληπτος («incompréhensible», 15, 4 ; 18, 14) et son contraire καταληπτός (15, 8). Nous rencontrons là le vocabulaire technique de siècles de discussions entre Stoïciens, Épicuriens et Sceptiques. La doctrine difficile des Sceptiques de l'Académie, mentionnée en 15, 4 s., doit sans nul doute s'interpréter à la lumière de passages tels que le *Contre les Mathématiciens* de Sextus Empiricus 7, 417 (cf. 7, 438) : πολλὰ ψευδῆ καὶ ἀκατάληπτα τῇ καταληπτικῇ φαντασίᾳ παρακείμενα (bien des choses fausses et incompréhensibles disposées dans l'imagination perceptive).

Hermias emploie les même termes dans le développement final du chapitre 18, mais semble avoir oublié tout sens technique qu'il a pu avoir en tête auparavant. Il ne se soucie plus que de tirer de ces mots tout l'avantage possible au niveau affectif. Bon exemple du caractère superficiel qu'il maintient de bout en bout, tout en témoignant d'une connaissance sérieuse des textes et des termes de son sujet.

i) Grammaire et syntaxe.

Un ouvrage limité à mille neuf cents mots environ, en une centaine de phrases, ne saurait offrir de preuves des capacités linguistiques de l'auteur. Ce qu'on peut dire sur ce point de l'*Irrisio* reste assez négatif. En ce qui regarde la morphologie, Kindstrand a noté (p. 344) que les seules entorses aux règles du meilleur grec classique — du moins après les corrections des scribes — se limitent aux deux formes hellénistiques de l'impératif en -ωσαν en 4, 3 s. et à ce qu'il regarde comme un indicatif futur d'époque tardive dans le même chapitre (4, 13). En fait il s'agit sans doute d'un subjonctif aoriste très classique dans une interrogation délibérative, directe ou indirecte (cf. 10, 4 ; 15, 6).

On entrevoit des perspectives alléchantes d'une grande maîtrise de la syntaxe. Nous disons : entrevoit, car Hermias ne recourt que rarement à de véritables subordonnées. Les trois quarts de ses phrases consistent en des propositions indépendantes. Quatre seulement tentent de nicher une subordonnée à l'intérieur d'une autre, et toutes les quatre figurent dans les chapitres 16 à 18. La plus complexe donne l'explication de la forme octaédrique de l'air chez Pythagore (16, 12 s.) et combine une consécutive avec deux relatives.

A défaut de subordination Hermias use de la coordination avec une grande fréquence et non sans subtilité. Sauf au chapitre 16 où il parle de mathématiques, deux phrases sur trois contiennent au moins un cas de coordination de groupes de mots ou de propositions. Ceci permet d'expliquer comment un auteur si économe de subordonnées peut néanmoins arriver à une moyenne fort élevée de 19 mots par phrase.

Hermias aligne souvent côte à côte trois ou quatre expressions coordonnées, mais, dans les chapitres 2 à 4, il emploie des listes plus longues encore, avec ou sans asyndète. Le chapitre 2, qui suit de près une source doxographique, présente quatorze indépendantes coordonnées dans une seule phrase et chacune contient un discours indirect condensé. Le chapitre 3 juxtapose sept indépendantes, et, par un curieux tour de force le chapitre 4 contient cinq listes très fournies qui regroupent successivement :

1. Cinq prédicats liés par la conjonction ἤ (4, 1s.).
2. Deux phrases consistant en deux paires de propositions principales coordonnées (4, 2 ; 4, 7), chacune incluant une coordination subsidiaire à l'intérieur de cette structure.
3. Huit noms employés comme prédicats et coordonnés par ἤ.
4. Cinq paires d'adjectifs en asyndète développant le mot πάντα (4, 14).
5. Cinq verbes indépendants en asyndète (4, 17).

Les listes sont un trait distinctif des premiers chapitres, sans doute par suite du sujet traité. Mais sur les soixante et onze phrases des chapitres 5-19 (à l'exclusion du chapitre 16) cinquante comportent une coordination (70 %) et vingt-sept d'entre elles (près de 40 % des phrases de cette section) renferment des propositions coordonnées (y compris celles au discours indirect). Nous pouvons qualifier de « naïf » ce procédé de style, mais sans que cela implique un manque d'habileté linguistique.

Dignes de remarque aussi les aspects syntaxiques suivants :

1. Hermias omet volontiers le verbe «être» (environ deux fois plus qu'il ne l'exprime).

2. Il se montre très orthodoxe dans l'emploi de l'article défini. Notons cependant un cas criant d'infraction à la règle concernant les propositions composées d'un sujet et d'un prédicat (l'article doit y précéder le sujet et s'omettre devant l'attribut). Le cas se présente dans la liste de 2, 1 s. La responsabilité n'en revient peut-être pas à Hermias en personne, mais on voit mal pourquoi ψυχήν n'a pas d'article, là où il précède la plupart des prédicats. On peut aussi voir en ψυχήν un attribut et dans les noms qui suivent des sujets, ce qui accentuerait même l'effet comique.

j) L'ordre des mots.

Concluons par quelques remarques sur l'ordre des mots. Le génitif «en sandwich» remplace souvent d'autres constructions. Hermias semble toujours placer un adjectif démonstratif dans la position normale du prédicat — si du moins notre correction du texte, avec la plupart des éditeurs, se révèle correcte en 5, 4 (cette règle ne s'applique évidemment pas à τοσοῦτος, cf. 15, 7 ; 18, 15).

Sa compétence stylistique retrouve la tendance classique à glisser les formes faibles des pronoms personnels à des endroits inhabituels. Les possessifs précèdent le groupe nominal en 4, 12 ; 12, 4 ; 14, 6. Un datif peut se nicher dans une unité syntaxique totalement différente : ainsi en 15, 1 et 16, 3 (ce dernier cas, contrairement à l'usage habituel, ne figure pas au début d'une proposition).

Signalons aussi la place des verbes παρακεῖσθαι (15, 5) et ἄρχει (17, 14). Pour le second cas, il s'agit peut-être d'un contraste avec la question indirecte parallèle de 17, 10. Ces inversions peuvent provenir des sources de l'*Irrisio* et tenir aux exigences du rythme de la prose, mais elles manifestent aussi une certaine maîtrise de la langue classique.

2. Originalité de l'œuvre

Kindstrand a suggéré qu'à l'origine l'*Irrisio* avait peut-être été un texte païen doté par la suite d'une introduction chrétienne au chapitre 1 : c'est en effet le seul endroit où apparaîtrait la main d'un auteur chrétien. En réalité il n'est pas tout à fait exact de dire que le reste de l'ouvrage ne contient pas de signes de l'influence chrétienne. La formule du chapitre 5, 6 τῶν θεῶν αὐτῶν peut se rendre par «leurs dieux» (c.-à-d. les dieux des païens), même si la traduction «les dieux eux-mêmes» (que nous avons adoptée) se défend aussi bien. De même l'écho apparent des mots d'*Isaïe* 40 (voir plus haut, p. 21-22) peut être révélateur. Si nous pouvons attribuer le titre de l'œuvre à l'auteur, la formule «les philosophes qui ne sont pas des nôtres» (τῶν ἔξω φιλοσόφων) indique nettement la conviction chrétienne de l'auteur. D'un autre côté, l'absence de signes de croyance chrétienne ne prouve pas de façon décisive qu'on ait ajouté le chapitre premier après coup. C'était, semble-t-il, l'habitude de plusieurs auteurs chrétiens au IIe siècle, quand ils écrivaient pour des païens, de donner le moins possible de détails sur les aspects concrets du christianisme ; ainsi Théophile d'Antioche et Athénagore. La théorie de Kindstrand manque donc de fondements assez solides pour être admissible.

Sur le plan littéraire l'*Irrisio* occupe une place pratiquement unique. Il n'existe rien de vraiment parallèle dans l'ensemble des textes chrétiens anciens. C'est là un de ses côtés intéressants. Les similitudes littéraires les plus proches sont à chercher chez Tatien, pour les chrétiens, et Lucien, pour les païens (et tous deux écrivaient au IIe siècle, ce qui est fort éclairant pour notre propos). Le ton humoristique de l'œuvre la classe aussi à part dans la littérature chrétienne de l'Antiquité. Les critiques du siècle dernier n'ont pas apprécié cet humour et d'aucuns y ont même vu un signe de décadence tardive. Les lecteurs du XXe siècle le goûtèrent sans doute davantage. Hermias écrit avec une constante délicatesse et une vivacité d'esprit toujours renouvelée qui mérite l'admiration. Il ne verse ni dans la vulgarité ni dans l'outrance. L'humour est une qualité rare dans la littérature patristique : ne le critiquons pas pour une fois qu'il se présente.

Bien qu'Hermias ne se réfère pas souvent au christianisme, il est évident qu'il écrit pour des chrétiens, et même des intellectuels, non pour des païens. Toute son argumentation, explicite et implicite, consiste à dire que la vérité claire et sûre ne se trouve pas dans la philosophie païenne, mais seulement dans le christianisme. Il n'adopte pas l'attitude d'Hippolyte, qui voyait dans la philosophie la source de toutes les erreurs et hérésies, ni celle d'Irénée, qui voulait éviter la spéculation, parce qu'elle entraînait les chrétiens hors du droit chemin. Il se contente de montrer que la philosophie païenne se contredit et jette dans la perplexité et l'obscurité. Il n'omet qu'une seule grande école : le Cynisme ; mais le Cynisme n'était pas un système. On ne pouvait guère découvrir en lui un ensemble d'idées cohérentes et Hermias ne s'intéresse qu'aux idées.

On a avancé quantité d'hypothèses sur l'identité de l'auteur de l'*Irrisio*. Aucune n'a été admise par les spécialistes, aucune d'ailleurs n'offre de vraisemblance. Concluons simplement que nous ne savons rien de cet Hermias, sinon qu'il a écrit l'*Irrisio*. Mais le fait qu'on attribue le livre à un Hermias dont on ignore tout suggère que tel était bien son nom. Aucun autre auteur de l'Antiquité ne le mentionne, mais cela ne doit pas nous troubler. Après tout, nul dans les premiers siècles, ne mentionne la *Lettre à Diognète* et il n'en reste aucun manuscrit ; nous n'en possédons qu'une édition de la Renaissance, et pourtant tout le monde, sur la foi de la critique interne, en reconnaît l'authenticité. Et il semble bien que le Pseudo-Justin ait utilisé l'*Irrisio*.

3. Date

Les indices possibles pour déterminer la date de l'ouvrage sont dans une large mesure, mais non pas entièrement d'ordre négatif. Il paraît vraisemblable que l'auteur ait utilisé les *Placita* d'Aetius qu'on doit situer au plus tard vers 150. Hermias peut fort bien avoir subi l'influence de Lucien (au plus tard vers 130). Il pourrait exister une relation entre Hermias et Tatien, dont l'*Oratio* remonte autour de 170. La théorie de l'apostasie des anges, proposée au chapitre 7 de l'*Irrisio* n'apparaît guère dans la littérature chrétienne que chez les gens (des chrétiens bien sûr) mentionnés entre 190 et 210 par Clément d'Alexandrie, qui rejette cette théorie[1]. La manière qu'a Hermias d'utiliser la tradition doxographique ne semble pas en refléter la formation à un stade très tardif ; elle pourrait cependant s'accorder avec une date du IVe siècle. Si, comme il est vraisemblable, la *Cohortatio ad Graecos* du Pseudo-Justin a réellement mis à contribution l'œuvre d'Hermias, nous ne pouvons placer l'*Irrisio* plus tard que vers le milieu du IIIe siècle, et nous devrions sans doute remonter à une époque un peu antérieure. Le détail le plus significatif pour établir la datation de l'ouvrage consiste dans l'attitude de l'auteur envers Platon. On l'a déjà remarqué (*supra*, p. 23-24), Hermias n'attribue qu'une place relativement modeste au philosophe ; il paraît ignorer le moyen-platonisme ou du moins ne manifeste aucun intérêt pour lui et semble dénué de toute notion concernant le néo-platonisme. L'absence de référence au moyen-platonisme ne signifie peut-être pas grand-chose, mais le fait que le néo-platonisme n'obtient aucune mention dans le tableau des systèmes représente un point important. Non seulement tout auteur de la seconde moitié du IIIe siècle, chrétien ou païen, témoigne-

1. Cf. Appendice I, p. 123-128.

rait très vraisemblablement d'une certaine connaissance des idées néo-platoniciennes, sinon des philosophes eux-mêmes, mais le peu de place attribuée à Platon par Hermias ne se concilie guère avec une date postérieure à 250. L'argument tiré du traitement des «anges apostats»[1] (cf. Appendice I) incite fortement à choisir une date autour de 200. Quant aux tentatives des érudits du passé pour placer l'*Irrisio* au IVe, Ve ou VIe siècle à cause d'allusions à des œuvres écrites à ces époques, nous avons vu dans notre étude qu'elles n'emportent pas la conviction.

Nous concluons donc à partir d'indices, dans une large mesure négatifs, mais qui vont tous dans le même sens, qu'on peut, avec une grande probabilité, mais non avec certitude, dater l'*Irrisio* de 200 ap. J.-C. environ (soit avant soit après). On ne peut voir en Hermias un apologiste, même si on l'a souvent rangé jadis dans cette catégorie. En réalité il tient une place à part en tant que satiriste et philosophe chrétien.

1. *Ibid.*

CHAPITRE III

HISTOIRE DU TEXTE

Liste des manuscrits.

Nous avons recensé seize manuscrits dont la liste suit. On trouvera des détails supplémentaires dans Otto, *Corpus Apologetarum* IX, p. XII-XXI, et dans R. Knopf, « Über eine neu untersuchte Handschrift zum Διασυρμὸς τῶν ἔξω φιλοσόφων des Hermias », *Zeitschrift für Wissenschaftliche Theologie*, 1900, p. 626-629. Pour une liste des éditions et éditeurs postérieurs, voir plus bas, p. 85 s.

P *(Patmiacus 202)* bibliothèque du Monastère Saint-Jean, Patmos, parchemin, XIe-XIIe siècles.

V *(Codex Vindobonensis philosophicus et philologicus graecus XIII)*, aujourd'hui à la bibliothèque Palatine de Vienne ; a jadis appartenu à Sébastien Erich († 1585) ; papier XIVe siècle. Otto l'appelle « Vind » et Diels, V.

ML *(Codex Mediolanensis)* maintenant à la Biblioteca Nazionale Braidense, Milan ; jadis propriété de William Cave (1637-1713), papier, XIVe siècle.

M 58 *(Codex Monacensis LVIII)*, aujourd'hui à la Bibliothèque Nationale (autrefois Royale), Munich ; a appartenu à Jean Jacob Fugger (1516-1575), papier, XVIe siècle (corrections de Seiler dans les marges). Otto l'appelle « Mon 2 ».

M 512 *(Codex Monacensis DXII)* actuellement à la Bibliothèque de Munich avec M 58, autrefois à la Bibliothèque d'Augsbourg, parchemin, xve siècle. Appelé « Mon 1 » par Otto et M. par Diels.

L *(Codex Leidensis XVI quarto num. 486)* maintenant à la Bibliothèque de l'Université de Leyde ; appartint à Isaac Voss (1618-1689) ; papier, xve siècle. Menzel l'appelle « Voss » ; Otto, « Leid » ; Diels, L.

O 191 *(Codex Ottobonianus graecus CXCI)*, Bibliothèque Vaticane, Rome, papier, xve siècle ; Otto l'appelle « Ottob » et Diels, O.

O 112 *(Codex Ottobonianus graecus CXII)*, actuellement à la Bibliothèque Vaticane, Rome, a jadis appartenu à Gulielmo Sirleto (1514-1588, bibliothécaire au Vatican 1570), papier, xve siècle.

S 3 *(Codex Scorialensis graecus arm. y plut. II num. 12)* Bibliothèque San Lorenzo, Escurial, papier, copié en 1576 par Andreas Darmarius.

C *(Codex Anglicanus)* aujourd'hui à la Bibliothèque de Trinity College, Cambridge, jadis propriété de Thomas Gale, Dean of York (env. 1635-1702), puis de son fils Thomas, papier, xvie siècle, probablement copié par Andreas Darmarius. Otto le désigne sous le vocable « Ang ».

M 339 *(Codex Monacensis CCCXXXIX)* actuellement à la Bibliothèque de Munich, autrefois à la bibliothèque des Augustins à Munich, papier. Copié par Andreas Darmarius en 1576 et sans doute offert par lui au monastère en 1583. C'est le « Mon 3 » de Otto.

R *(Codex Reginensis graecus CLIX)*, maintenant à la Bibliothèque Vaticane à Rome ; fit jadis partie de la Bibliothèque de Christine de Suède ; peut-être acquis par elle lorsque Isaac Voss lui vendit les livres de son père. Papier, xvie siècle, Otto l'appelle « Vat ».

SL *(Codex Salmanticensis)* Bibliothèque de l'Université, Salamanque, papier, xvie siècle.

MT *(Codex Matritensis CXIX)* Biblioteca Nacional, Madrid, papier, XVIe siècle.

S 10 *(Codex Scorialensis graecus X.IV.1)*, Bibliothèque San Lorenzo, Escurial, papier, XVIe siècle, copié par Calosynas.

Z *(Codex Caesaraugustensis)*, Zaragossa, Biblioteca del Cabildo Metropolitano, 23-61, XVIe siècle, palimpseste sur parchemin.

Otto n'a utilisé que V, M 58, M 512, O 191, O 112, L et C mais il connaissait aussi les versions S 3, M 339, R, MT et S 10. La division en chapitres est celle de Maran. Une vérification a prouvé que Seiler n'a pas divisé le texte.

Sigles des manuscrits

	*	**	
1	C	C	= *Anglicanus*, s. XVI
2	D	M 339	= *Monacensis CCCXXXIX*, s. XVI
3	E	MT	= *Matritensis CXIX*, s. XVI
4	F	S 10	= *Scorialensis graecus X.IV.I*, s. XVI
5	L	L	= *Leidensis XVI quarto num. 486*, s. XV
6	M	M 512	= *Monacensis DXII*, s. XV
7	N	M 58	= *Monacensis LVIII*, s. XVI
8	O	O 191	= *Ottobonianus graecus CXCI*, s. XV
9	P	P	= *Patmiacus 202*, s. XI-XII
10	Q	O 112	= *Ottobonianus graecus CXII*, s. XV
11	R	R	= *Reginensis graecus CLIX*, s. XVI
12	S	SL	= *Salmanticensis*, s. XVI
13	T	ML	= *Mediolanensis*, s. XIV
14	V	V	= *Vindobonensis philosophicus et philologicus graecus XIII*, s. XIV
15	X	S 3	= *Scorialensis graecus arm. y plut. II num. 12*, s. XVI
16	Z	Z	= *Caesaraugustensis*, s. XVI
I	Δ		= L M N O Q T V (tradition principale)
II	Θ		= C D R X Z
III	Ψ		= E F S
II + III	Ω		= C D R X Z E F S

* Sigles de cette édition.
** Sigles de l'éditon Otto.

1. Tradition manuscrite

L'histoire de la recherche concernant l'*Irrisio* révèle au total l'existence de seize manuscrits à travers les siècles.

Pratiquement tous sont d'époque très tardive, datant du XVe ou du XVIe siècle. Fait seul exception le manuscrit de Patmos, P, qui semble plus ancien, du XIe ou XIIe siècle. La présente édition est d'ailleurs la première à utiliser P, depuis que Knopf en 1906 a attiré l'attention sur ce manuscrit.

Il est clair que huit manuscrits (D, R, X, F, C, S, E, Z) sont étroitement apparentés et constituent une tradition manuscrite distincte des autres. On a affecté à ce groupe le sigle Ω. Cette ensemble comporte au moins quatre-vingts variantes communes, pratiquement toutes des leçons secondaires. Elles incluent nombre d'omissions, quelques mots inintelligibles et nombre de lectures dépourvues de tout sens dans leur contexte. Ce groupe n'offre guère de secours pour retrouver le texte «original» d'Hermias.

A l'intérieur de Ω il est aussi évident que trois manuscrits (S, F, E) forment un sous-groupe. On compte plus de cinquante variantes communes à ce sous-ensemble, nommé ici Ψ. Les cinq autres manuscrits de Ω (D, R, X, C, Z) ont été désignés par le sigle Θ. Faut-il voir en Θ et en Ψ deux traditions indépendantes à l'intérieur de Ω ou simplement un développement ultérieur de la tradition principale de Ω ? Nous étudierons plus loin cette question.

a) L'écriture.

Pour déterminer la parenté entre les divers manuscrits on a intérêt à comparer leur graphisme. D'après l'introduction d'Otto (p. XVI) D, R, X et E proviennent de la main du même scribe, Andreas Darmarius (qu'Otto juge très sévèrement !)[1]. En fait on peut compléter mais aussi corriger cette thèse. Otto s'appuie sur l'existence de notes personnelles (indiquant que Darmarius avait assuré la copie) à la fin d'autres textes du même codex en D, R et X. Dans le cas de E, Otto soutient que le même scribe en est presque certainement *(haud dubie)* responsable, puisque les autres textes copiés dans le codex coïncidaient avec ceux de D.

Un examen de l'écriture révèle qu'Otto avait sans doute raison dans le cas de D et X, mais non dans celui de E et de R. C est aussi sans doute de la main de Darmarius : le graphisme est bien le même et une « signature » identique figure après le texte qui suit l'*Irrisio* dans le codex. L'écriture de Z ressemble à celle de Darmarius, mais Z ne porte pas sa signature. Avec R, en revanche, la situation diffère. La « signature » de Darmarius apparaît bien à la fin de l'œuvre suivante dans le codex. Mais notre examen des manuscrits a rendu évident que le codex R n'est qu'en partie de Darmarius. Le texte de l'*Irrisio* dans R est écrit par une autre main.

Darmarius n'a pas davantage copié E. Au vrai E diffère du texte de Darmarius sur presque tous les mêmes points que R. Il se peut que R et E soient de la même main (bien que leurs lambdas se distinguent quelque peu : en E ils tendent à être rectilignes au bas tandis qu'en R ils s'incurvent vers la droite). Le graphisme de E ressemble aussi beaucoup à celui de S. Cependant aucune note des scribes ne permet de confirmer ou de rejeter ces conjectures sur une écriture commune.

Les indices tirés du graphisme coïncident fort bien avec la répartition déjà signalée. D, R, X, C et Z sont tous de la main de Darmarius ou très proches de lui et ce sont eux qui constituent Θ. Si E et S proviennent du même copiste, cela s'accorderait avec leur appartenance à Ψ ; nous ver-

1. Otto dit de cet ensemble *« ab Andrea Darmario exaratus, homine indocto ac negligenti »*.

rons plus loin en détail Θ et Ψ. Cependant si R et E ont la même origine, cela ne concorderait pas aussi bien, puisque tous deux n'appartiennent pas au même sous-groupe de Ω.

b) Le groupe Ψ.

Le problème de la parenté entre ces manuscrits se présente de manière relativement simple. F a évidemment été copié avec fort peu de soin. On y relève un grand nombre d'erreurs que le scribe a lui-même corrigées (répétitions, omissions, lettres fautives) et l'on compte trente-deux lectures singulières [1] dans le manuscrit. Ce dernier point rend fort peu vraisemblable l'hypothèse que F ait été la source, directe ou indirecte, d'autres manuscrits. Le nombre des lectures singulières sans influence sur la tradition indique que F occupe une position secondaire par rapport aux autres manuscrits, à l'intérieur et à l'extérieur du groupe Ψ.

La situation de S offre plus d'intérêt. Ici, pas de leçons singulières [2]. Dans beaucoup de cas S et E font cause commune contre F (cf. 12, 10 ; 16, 25 ; 18, 6). Sur d'autres points S rejoint F contre E (2, 1 ; 4, 7 ; 6, 1, 5, 9 ; 10, 7 ; 13, 2 ; 15, 7). Mais on ne trouve aucun exemple d'accord entre F et E contre S. On doit donc conclure que S occupe une position médiane par rapport aux deux autres [3]. Trois possibilités se présentent donc :

1. Par «singulières» nous entendons des lectures propres à cet unique manuscrit.

2. 12, 4 constitue peut-être une exception, mais S lui-même fournit la correction.

3. En application du principe bien connu de Dom H. Quentin sur la «comparaison à trois» pour déterminer la parenté des textes.

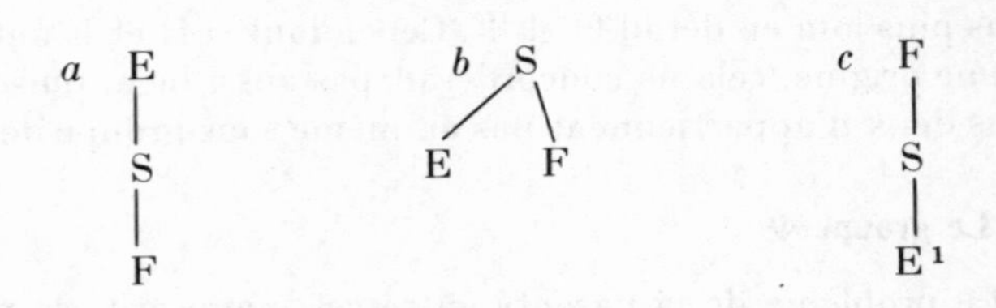

On peut d'emblée exclure la solution *c* en raison de ce que nous avons signalé plus haut : l'existence de tant de lectures singulières interdit de voir en F la source d'autres manuscrits. Restent les hypothèses *a* et *b* où F provient de S. Il n'y a plus qu'à décider si S est antérieur à E ou vice versa.

On relève nombre d'endroits où E donne une lecture singulière (4, 7 ; 8, 6 ; 16, 20) ou s'écarte des autres membres de Ω (10, 4). Dans certains cas la version de E n'a donc pas influé sur la tradition manuscrite. Rien de tel par contre pour S. Cela suggère fortement l'antériorité de S par rapport à E. Les difficultés de cette théorie viennent des points où S rejoint F, mais où E diffère et parfois même «corrige» la variante de S. Cependant les problèmes ne semblent pas insurmontables si on examine les textes. En 2, 1 et 13, 2 la variante se réduit à un léger changement dans le nom Δημόκριτος/-κρητος : on peut bien imaginer qu'un scribe ait modifié le texte dans le sens de la forme accoutumée. En 15, 6 le ταλαιπωρήσας est un *vox nihili* et l'on comprend la correction de E. En 4, 7 le πολιρρία de E semble être une variante encore plus corrompue du πολιρροία de S (provenant sans doute de παλιρροία, *via* le πολλυρροία de X, R et C). De même en 6, 9 le ἀνακυρίσσει semble être une modification du ἀνακυρύσσει de S (pour ἀνακηρύσσει). Les derniers cas (6, 1.5 ; 10, 7) ne portent que

1. Les lignes du schéma indiquent qu'un manuscrit tire son origine de l'autre. Cela n'implique pas qu'il ait été directement copié sur lui. On pourrait cependant user du rasoir d'Occam et supposer le fait, sauf preuve du contraire.

sur une lettre et l'on peut aisément y voir une modification secondaire de S par E.

Il s'ensuit donc que le stemma Ψ peut avec une certaine probabilité se représenter ainsi :

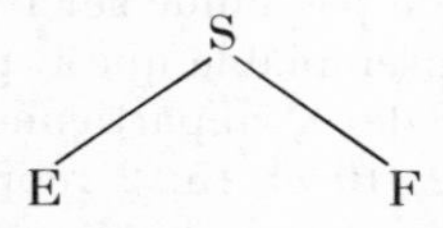

(sans affirmer que les liens de dépendance impliquent une copie directe).

c) Le groupe Θ.

A l'intérieur de l'ensemble Ω bon nombre de variantes sont communes aux seuls D et C (6, 9 ; 12, 11 ; 16, 8 ; 16, 11 s. [2 cas] ; 16, 17 s. ; 18, 3). L'une d'elles, en 16, 12 s. offre un intérêt particulier : il s'agit d'une omission importante qui ne semble pas avoir affecté les autres manuscrits. La tradition C-D ne s'est donc pas perpétuée (puisque tout manuscrit copié sur elle aurait comporté cette omission). D et C occupent donc une position de retrait par rapport à X et à R. De plus D présente un grand nombre de lectures singulières (4, 7.12 ; 7.1 ; 12, 1.2 ; 13, 9 ; 18, 15 ; 19, 3). C par contre n'en a aucune (la seule exception possible serait ἀνείμων pour ἀνείμω en 14, 7 ; mais le ν est souligné dans le manuscrit, ce qui indique que le scribe voulait peut-être l'annuler). On est donc grandement porté à croire que C n'a pas été copié sur D (puisque aucune des lectures singulières de ce dernier ne s'y retrouve). D dépend plutôt de C. En outre, le fait que les deux manuscrits sont de la main du même scribe suggère qu'il est inutile de postuler entre eux des étapes intermédiaires. Nous pouvons simplement déduire que C est une bonne copie et D une copie légèrement moins soignée d'un ancêtre commun.

La question se pose maintenant des rapports entre C, X et R. L'omission importante de C en 16, 12 s. rend fort improbable que C ait été la source de l'un des deux autres qui ont le texte intégral en 16, 12. C dérive donc sans doute de X ou de R ou des deux. X contient quatre lectures singulières (11, 8 ; 12, 10 ; 15, 2.5) et R, trois (4, 17 ; 17, 20 ; 18, 3 s.). Mais la variante de R en 4, 17 consiste en l'omission de εὔφωνα et n'a pas influé sur les autres manuscrits. Il est donc peu vraisemblable que C provienne de R. Les lectures singulières de X appartiennent à une catégorie toute différente. 12, 10 et 15, 2 représentent une légère modification dans l'orthographe d'un nom propre (Λεύκιπος au lieu de Λεύκιππος et Ληβύης au lieu de Λιβύης ; dans les deux cas on peut aisément imaginer une correction). 11, 8 représente une erreur obvie (ποιοῖν pour ποιεῖν) et là encore on peut envisager une correction secondaire. Quant à 15, 5 le copiste de X a lui-même inscrit la correction en marge. Ainsi donc à examiner les lectures singulières de X on n'éprouve pas grande difficulté à conclure que C dépend de X.

Il en va de même pour la filiation de R par rapport à X, et l'omission singulière de R en 4, 17 rend malaisé d'admettre une relation directe entre R et C. Z n'est qu'une reproduction sans caractère propre de la tradition de Θ et dépend sans doute de X.

On peut reconstruire le stemma de Θ selon le diagramme :

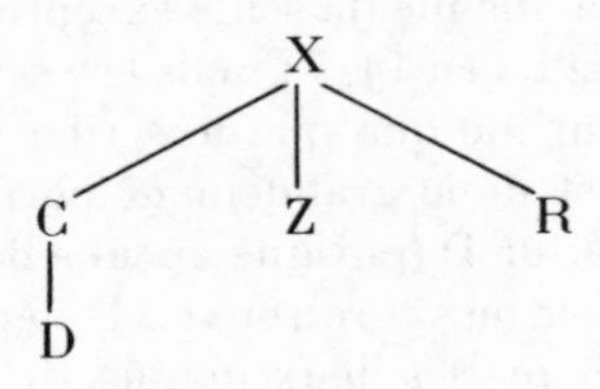

d) Rapports entre Θ et Ψ.

Θ constitue-t-il une famille distincte à côté de Ψ ou représente-t-il simplement le reste de Ω après la sécession de Ψ ?

On relève plus de quatre-vingts variantes propres à Ω, et Ψ compte également plus de quarante lectures indépendantes. Θ présente aussi certaines variantes propres. Mais, dans la plupart des cas, l'existence d'une lecture particulière de Θ s'accompagne aussi d'une variante distincte de Ψ (cf. 9, 1, 5 ; 12, 8 ; 13, 1, 5 ; 14, 3 ; 16, 9 ; 18, 1, 6). Dans quatre cas seulement on note une lecture particulière Θ, sans variante correspondante en Ψ (6, 3 ; 11, 6 ; 13, 5, 10), et chaque fois cette variante du Θ donne un texte grec irrecevable, si bien qu'on soupçonne aisément une « correction » subséquente. Il semble donc plus probable (sans qu'on puisse s'avancer davantage) que Θ ne constitue pas une famille distincte en face de Ψ. Θ représente plutôt le reste de Ω quand Ψ introduit une nouvelle variante dans une lecture de Ω? Sinon on se serait attendu à un nombre plus élevé de variantes de Θ là où Ψ n'en offre aucune. Ψ n'est donc qu'un dérivé de Ω.

Peut-on maintenant définir la relation entre Ψ et Ω? Le plus qu'on puisse affirmer c'est que Ψ a plus de liens avec R qu'avec les autres manuscrits de Ω. En 3, 10 R s'accorde avec Ψ et la masse des autres manuscrits. En 17, 4 et 18, 15, X, D et C adoptent une variante commune, ce qui représente un autre accord de R et de Ψ (avec d'autres). A coup sûr aucun autre manuscrit de Θ n'a autant de liens avec Ψ que R. Pourtant on ne peut, semble-t-il, conclure que S (le texte fondateur de Ψ) provienne directement de R. Trois variantes singulières de R ne se retrouvent pas en Ψ, y compris l'omission de 4, 17. On pourrait supposer un intermédiaire entre X et R et penser que S en dérive, mais cette hypothèse reste conjecturale.

Le stemma de Ω doit donc en fin de compte se présenter ainsi :

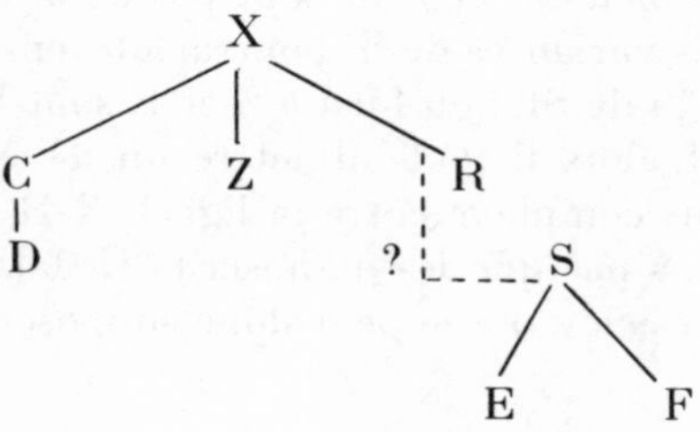

e) Origines de Ω.

Les manuscrits du groupe Θ sont tous de la main de Darmarius ou associés à son nom. Il serait néanmoins assez risqué de croire que toutes les versions de Ω procèdent des idiosyncrasies de cet unique individu. Le fait que X, C et D sont dus à sa plume permet de mesurer sa valeur professionnelle. C introduit sept variantes dans le texte de X. D en ajoute neuf autres. Mais on compte plus de quatre-vingts leçons en Ω. Il y a donc peu de chances que ces quatre-vingts leçons découlent de la négligence de Darmarius lorsqu'il a copié X sur un autre manuscrit. Si tel avait été le cas on aurait pu s'attendre à une dizaine de variantes. On a donc de fortes raisons de penser que la majorité des variantes de Ω se sont produites à une étape antérieure à X dans la tradition manuscrite. Ce texte Ω a dû être établi avant de parvenir à Darmarius, mais les éléments dont nous disposons ne permettent pas de conclusion plus précise.

En ce qui regarde Ψ la situation est encore plus incertaine, puisque nous ne possédons pas un contrôle fondé de façon sûre sur l'activité commune des copistes. Mais si S et E proviennent du même scribe, on ne peut guère attribuer toutes les variantes de Ψ à sa seule négligence. E introduit huit variantes supplémentaires dans le texte de S : comment imaginer que le même copiste parvienne à faire plus de quarante changements en copiant le texte de R ou d'un manuscrit antérieur à R ? On doit donc supposer ceci : ou bien *a* S et E ne sont pas de la même main ; dans ce cas les variantes de Ψ pourraient venir de la négligence du copiste de SL ; ou bien *b* S et E sont l'œuvre du même scribe et alors il faut admettre un développement beaucoup plus complexe entre la lignée X-R et S. Par ailleurs n'oublions pas que les manuscrits Ω datent tous de la fin du XVIe siècle : on ne peut donc supposer qu'on ait écrit à la main une foule de copies de l'*Irrisio* à une époque où l'imprimerie produisait aussi des textes.

f) Principale tradition manuscrite.

Sur les huit manuscrits restants nous devons certainement classer à part celui de Patmos. Sa relative ancienneté rend intrinsèquement probable sa valeur et tel est bien le cas. Il compte vingt-huit variantes propres. Cinq ont été jugées erronées mais les autres pourraient bien représenter le texte original. (Fait intéressant : certaines des conjectures d'éditeurs modernes qui n'avaient pas eu accès à P y ont trouvé confirmation : cf. 3, 9 ; 4, 18 ; 5, 5 ; 6, 7 ; 6, 13 ; 7, 1 ; 10, 4 ; 12, 2 ; 13, 7 ; 15, 5 ; 17, 15 ; 17, 17 ; 18, 18.)

Les sept autres manuscrits (L, M, N, O, Q, T, V), ne se prêtent pas aisément à une reconstruction du stemma. En fait le texte reste très constant dans ce groupe que nous avons qualifié de « tradition principale ». Une seule conjecture se présente : L dériverait de M. Tous deux possèdent quelques variantes particulières communes. Ainsi en 3, 7 on relève chez eux seulement une leçon différente. Ailleurs certaines variantes de M se retrouvent en L (cf. 4, 14 ; 12, 10 ; 15, 7) et, en deux autres occasions, le texte de M pourrait bien avoir donné lieu à la version de L (en 2, 1 Δημόκριτος écrit au-dessus de la ligne en M fait partie du texte de L ; en 10, 6 l'abréviation λεΓ de M correspond à une variante singulière λέγον de L). On compte six variantes singulières en L, dont une omission, mais aucune en M. Le texte de L ne s'éloigne de celui de M que dans ces six variantes. Leur présence rend très improbable une filiation dans le sens L → M. L'inverse paraît bien plus vraisemblable. L'écriture des deux manuscrits diffère totalement. Néanmoins le fait que les deux codices où figure le texte de l'*Irrisio* contiennent des ouvrages presque identiques suggère un lien étroit. Il semble donc probable qu'on ait copié L sur M (sans pouvoir exclure la possibilité d'étapes intermédiaires).

Les autres manuscrits de la tradition principale ne se classent pas facilement. En ce qui regarde les leçons singulières on en relève quatre dans V, deux en O, dix (dont une omission) dans Q, onze dans N, mais aucune en T. Le grand nombre de ces variantes propres en Q et N induisent à penser que nos manuscrits ne proviennent pas d'eux. On constate l'accord de O avec Q en quatre endroits (2, 1 ; 4, 14 ; 6, 9.10), bien que plusieurs leçons de O ne coïncident pas avec Q (cf. 2, 7, omission ; 11, 10 ; 12, 10 ; 17, 4 ainsi que les deux variantes singulières de O, c'est-à-dire 12, 3 et 18, 6). On ne peut donc conclure avec certitude à l'existence d'un lien entre ces deux manuscrits. Les similitudes entre les autres paires n'atteignent jamais le chiffre quatre, ce qui ne permet pas du tout d'établir une relation, pour un texte de la longueur de l'*Irrisio*. L'absence totale de variante singulière en T suggère qu'il a servi de modèle à un autre, mais on ne saurait en dire davantage.

L'établissement de trois grands groupes de textes (P, la tradition principale Ω) pose la question des rapports entre P et la tradition principale. P représente-t-il une lignée indépendante des autres manuscrits ou n'est-il qu'une forme de la même tradition apparue ensuite dans les textes postérieurs ? Les faits vont dans le sens de la première hypothèse. On soupçonne que certaines corruptions primitives ont affecté tous les manuscrits dont nous disposons (ainsi en 3, 1). On relève très peu d'erreurs de P qui ne figurent pas dans tous les autres manuscrits (cf. 4, 5 ; 8, 2 ; 12, 3 ; 14, 9 et peut-être aussi le titre). Néanmoins la très grande majorité des variantes singulières de P représentent le texte original. La meilleure manière d'expliquer cette situation consiste à dire que P s'inscrit sur une trajectoire légèrement à l'écart de celle qui aboutit à la tradition principale. On voit clairement que les deux sont très liées et que bon nombre des leçons fautives de la tradition principale s'expliquent par une évolution du texte de P. Cependant l'existence de quelques omissions en P seul rend une telle filiation directe moins probable.

On ne peut vraiment dire lequel des manuscrits de la tradition principale est le plus proche de P et a joué un rôle d'archétype par rapport aux autres. V est sans doute le plus ancien du groupe mais on ne peut le dire plus proche de P que les autres. Cette place reviendrait probablement à N. Seul il possède en commun avec P deux leçons (11, 2 ; 14, 10) ; en deux autres occasions il présente des variantes identiques avec N et d'autres manuscrits (4, 14 ; 12, 10). Y a-t-il là de quoi conclure à un lien entre P et N ? C'est fort douteux. En fait N se distingue par le nombre le plus élevé de variantes singulières (11) à l'intérieur de la tradition principale. Il semble donc n'avoir donné lieu à aucune copie ultérieure. Ainsi il ne constitue pas un manuscrit très important mais témoigne peut-être de la tradition de P à un stade relativement tardif. (En réalité on trouve un lien beaucoup plus étroit entre P et les notes marginales de N, mais celles-ci ne sont que les corrections conjecturales de Seiler : cf. Otto, p. XVII s.) Sans doute faut-il supposer une ou plusieurs étapes intermédiaires entre P et la tradition principale dont celle-ci serait issue.

On peut maintenant discuter la relation entre Ω et la tradition principale. Il n'existe pratiquement pas d'exemples où cette tradition donne une variante qui ne se perpétue (ou ne donne lieu à une variante supplémentaire) en Ω. On n'a donc guère lieu de voir en Ω un témoin d'une série indépendante de la tradition principale. Ω représente plutôt une évolution ultérieure de cette dernière. Y a-t-il des liens entre Ω et les manuscrits connus de la tradition principale ? Ce n'est pas certain. On note quatre leçons communes en O et Ω ; cela pourrait inviter à placer la relation entre Ω et la tradition principale au niveau de O, mais ces indices sont bien réduits. Il faut donc postuler une étape intermédiaire entre les deux groupes.

Ainsi donc on ne peut aboutir à une pleine reconstruction du stemma. Le schéma que nous proposons ici représente sans doute les limites d'une déduction raisonnable à partir des faits connus.

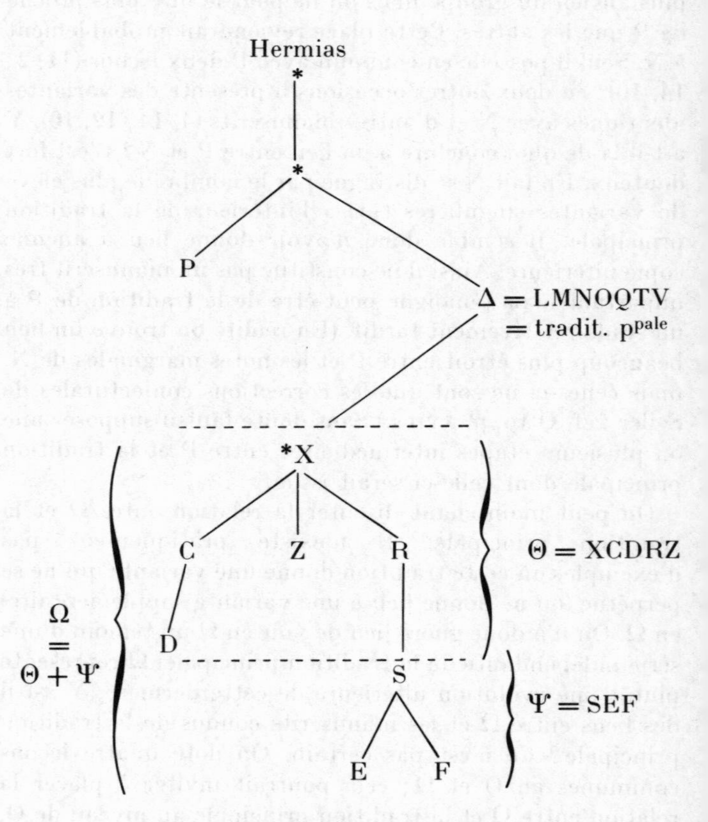

(stemma des manuscrits)

2. Éditions antérieures

1553, Bâle. Ed. R. Seiler (Édition princeps).

ΤΟΥ͂ ΚΥΔΩΝΊΟΥ ΠΕΡῚ τοῦ καταφρονεῖν τὸν θάνατον. ἙΡΜΕΊΟΥ ΦΙΛΟΣΌΦΟΥ ΔΙΑσυρμὸς τῶν ἔξω φιλοσόφων.
Cydonij de conTEMNENDA MORTE Oratio. HERMIAE PHILOSOPHI irrisio gentilium philosophorum. Ex inclyti ac generosi D. D. IOANNIS IACOBI FUGGERI splendidiss. ac ornatiss. bibliotheca desumpta : & nunc primum cum Grȩce, tum Latine, Raphaelis Seileri Augustani, Geryonis c. v. filij, opera ac versione in lucem prolata. BASILEAE, PER IOannem Oporinum.

1559/1560, Zurich. Ed. R. Seiler.

ΘΕΟΛΟΓΩΝ ΔΙΑΦΟΡΩΝ ΣΥΓΓΡΑΜΜΑΤΑ ΠΑΛΑΙΑ ΚΑΙ ΟΡΘΟΔΟΞΑ. THEOLOGORUM ALIQUOT GRAECORUM VETERUM ORTHODOXORUM LIBRI GRAECI ET IIDEM
Latinate donati : quorum plerique partim Latine, partim Graece antehac non sunt editi.
(Texte et traduction latine de Seiler, sans les notes de l'éditeur).

1580, Bâle. Ed. H. Wolf.

TABULA COMPENDIOSA DE ORIGINE, SUCCESSIONE, AETATE, ET DOCTRINA VETERUM PHILOSOphorum, ex Plutarcho, Laertio, Cicerone, et alijs eius generis scriptoribus, a G. MORELLIO TILIANO collecta. Cum HIER. WOLFII annotationibus. BASILIAE, Ex Officina Heruagiana, per Eusebium Episcopium, M.D.LXXX.
(Texte et traduction latine de Seiler, corrigés, avec les notes de Wolf).

(Le texte de Seiler réédité : ed. F. Morellus, Paris, 1615, 1636 et Cologne, 1686, ainsi que ed. F. Ducaeus, Paris, 1624).

1700, Oxford. Ed. W. Worth.

ΤΑΤΙΑΝΟΥ ΠΡΟΣ ΕΛΛΗΝΑΣ. ΕΡΜΙΟΥ ΔΙΑΣΥΡΜΟΣ ΤΩΝ ΕΞΩ ΦΙΛΟΣΟΦΩΝ. ΕΚ ΘΕΑΤΡΟΥ ἐν ΟΞΟΝΙΑ, Ετει Θεογονίας, αψ'.
TATIANI ORATIO AD GRAECOS. HERMIAE IRRISIO Gentilium Philosophorum. Ex vetustis Exemplaribus recensuit, Adnotationibusque integris Conradi Gesneri, Frontonis Ducaei, Christiani Kortholti, Thomae Galei, selectisque Henrici Stephani, Meursii, Bocharti, Cotelerii, utriusque Vossii, aliorum, suas qualescunque adjecit WILHELMUS WORTH, A.M. OXONIAE, E THEATRO SHELDONIANO, Anno Domini MDCC.

1742, Paris. Ed. P. Maran.

ΤΟΥ ΕΝ ΑΓΙΟΙΣ ΠΑΤΡΟΣ ΗΜΩΝ ΙΟΥΣΤΙΝΟΥ ΦΙΛΟΣΟΦΟΥ ΚΑΙ ΜΑΡΤΥΡΟΣ ΤΑ ΕΥΡΙΣΚΟΜΕΝΑ ΠΑΝΤΑ.
S. P. N. JUSTINI PHILOSOPHI ET MARTYRIS OPERA QUAE EXSTANT OMNIA. NECNON TATIANI ADVERSUS GRAECOS ORATIO, ATHENAGORAE Philosophi Atheniensis Legatio pro Christianis, S. Theophili Antiocheni tres ad Autolycum libri, Hermiae Philosophi Irrisio Gentilium Philosophorum : Item in Appendice supposita Justino Opera cum Actis illius Martyrii & Excerptis operum deperditorum ejusdem Justini & Tatiani & Theophili. Cum Mss. Codicibus collata, ac novis Interpretationibus, Notis, Admonitionibus & Praefatione illustrata, cum Indicis copiosis. Opera & studio unius ex Monachis Congregationis S. Mauri. Hagae Comitum, Apud Petrum de Hondt. M.DCC.XLII.

Le texte de Maran reparaît, corrigé dans J.P. Migne ed., *Patrologiae Graecae Tomus 6* (Paris, 1857) col. 1167-1180.

1764, Halle. Ed. J.C. Dommerich.

ΕΡΜΕΙΟΥ ΦΙΛΟΣΟΦΟΥ ΔΙΑΣΥΡΜΟΣ ΤΩ ΕΞΩ ΦΙΛΟΣΟΦΩΝ
HERMIAE PHILOSOPHI GENTILIUM PHILOSOPHORUM IRRISIO CUM ADNOTATIONIBUS HIER. WOLFII THOMAE GALEI WILH. WORTHII SUISQUE GRAECE IN USUM PRAELECTIONUM SEPARATIM EDIDIT IO. CHRISTOPH. DOMMERICH HALAE APUD CAROLUM HERMANNUM HEMMERDE MDCCLXIIII.

1840, Leyde, Ed. W.F. Menzel.

῾ΕΡΜΕΙΟΥ ΤΟΥ ΦΙΛΟΣΟΦΟΥ ΔΙΑΡΣΥΜΟΣ ΤΩΝ ᾽ΕΞΩ ΦΙΛΟΣΟΦΩΝ.
HERMIAE IRRISIO GENTILIUM PHILOSOPHORUM. EDIDIT W.F. MENZEL. Theol. Doct. Lugduni Batavorum, apud C.G. Menzel, MDCCCXL.

1872, Iéna. Ed. J.C.T. Otto.

Corpus apologetarum christianorum saeculi secundi. Vol. IX. Hermias Quadratus Aristides Aristo Miltiades Melito Apollinaris. Jena : In Libraria Maukia (Herm. Dufft), 1872.

1879, Berlin. Ed. H. Diels.

Doxographi Graeci. Berolini : Typis et impensis G. Reimeri MDCCCLXXIX.
(Réimpression, Berlin : W. de Gruyter, 1965/1976).

1929, Sienne ; 1930, Turin ; 1931, Livourne. Ed. G.A. Rizzo.

Ermia Filosofo : Lo Scherno dei Filosofi Gentili, con introduzione e commento (non utilisé).

3. La présente édition

Le texte édité ici, comme nous l'avons déjà précisé, représente la première édition du texte de l'*Irrisio* dans lequel ont été utilisées les données fournies par le manuscrit P. En cherchant à authentifier la lecture dans chaque détail, on a tenté d'employer une méthode vraiment éclectique : aucun manuscrit, ni aucune édition précédente n'étaient utilisés comme texte de base, mais plutôt grâce au nombre relativement faible de manuscrits disponibles et à la relative brièveté du texte lui-même, il a été possible sur chaque détail du texte, de prendre en considération les données de tous les manuscrits et de décider, sur la base des preuves externes et internes, ce qui avait été la plus ancienne lecture probable.

L'ancienneté de P a conduit inévitablement à attacher plus d'attention à ce manuscrit ; de plus, la nature clairement secondaire de la très grande majorité des lectures dans le groupe Ω signifie que la valeur de celles-ci était sujette à caution. Cependant nous avons essayé de juger chaque ensemble de variantes sur sa valeur propre et de considérer à la fois l'authenticité du manuscrit et la nature intrinsèque de la variante concernée.

SIGLES ET ABRÉVIATIONS

Aeg	Aegyptus
ASNSP	Annali della scuola normale superiore di Pisa
DK	*Die Fragmente der Vorsokratiker*, H. Diels, hrg. W. Kranz (Berlin 1960[9])
Dox	*Doxographi Graeci*, H. Diels (Berlin 1879)
ET	Expository Times
HThR	Harvard Theological Review
JBL	Journal of Biblical Literature
JThS	Journal of Theological Studies
LSJ[9]	*Greek-English Lexicon*, H. G. Liddell and R. Scott, rev. H. S. Jones and R. McKenzie (Oxford 1977[9]).
NTS	New Testament Studies
RSF	Rivista della storie della Filosofia
RSLR	Rivista di storia e letteratura religiosa
SVF	*Stoicorum Veterum Fragmenta*, H. von Arnim (Leipzig 1903-24, phot. repr. Stuttgart 1964)
Theol	Theology
ThLZ	Theologische Literaturzeitung
ThQu	Theologische Quartalschrift
VigChr	Vigiliae Christianae
WKL	*Weltkirchenlexicon*
ZWTh	Zeitschrift für wissenschaftliche Theologie

BIBLIOGRAPHIE *

ALFONSI, L., « Aristotele in Ermia (§ 11) », *Aevum* 32 (1958), p. 380-385.

— « Due note ad Ermia », *RSLR* 4 (1968), p. 470-472.

— *Ermia filosofo*, Brescia 1947.

— « *In Hermiam adnotatiuncula* », *Il Mondo Classico*, 1948, p. 34-35.

— « L'uomo di Protagora in Hermia », *RSF* 1 (1946), p. 320-321.

— « Nota ad Ermia », *Aevum* 38 (1964), p. 381.

— « Note ad Ermia filosofo », *Aeg.* 25 (1945), p. 60-62.

— « Protagora ' adulatore ' », *ASNSP* 16 (1947), p. 193-194.

— « Una parodia del *Teeteto* nello ' Scherno ' di Ermia », *VigChr* 5 (1951), p. 80-83.

— « *Varia graeco-latina* », *Vichiana* 5 (1976), p. 290-293.

BARDENHEVER, O., *Geschichte der altkirchlichen Literatur*, vol. I, Freiburg 1913, p. 325-329.

BAREILLE, G., « Hermias, philosophe chrétien », *DTC* VI (1947), col. 2303-2306.

BAUCKHAM, R., « The Fall of the Angels as the Source of Philosophy », *VigChr* 39 (1985), p. 313-330.

* Cette notice bibliographique ne comporte ni les éditions du texte grec ni les études parues avant 1800. On trouvera les premières ci-dessus, p. 85 s., et les secondes, p. 11 s.

Di Pauli von Treuheim, A., *Die «Irrisio» des Hermias, Forschungen zur Christlichen Literatur- und Dogmengeschichte* 7/2, Paderborn 1907.

— «Der *Irrisio* des Hermias», *ThQu* 90 (1908), p. 523-531.

Donaldson, J., *A critical history of Christian literature and doctrine*, vol. 3, Londres 1866, p. 179-181.

Dräseke, Compte rendu de Di Pauli, *Die «Irrisio» des Hermias* (1907), *ThLZ* 33 (1908), col. 111-113.

— Compte rendu de Krüger, *Geschichte der altchristliche Litteratur* (1895), *Wochenschrift für klassische Philologie* 13 (1896), col. 148-159.

Ehrhard, A., *Die altchristliche Litteratur und ihre Erforschung von 1884-1900*, I, Freibourg 1900, p. 252-253.

Fabricius, J. A., *Bibliotheca graeca sive notitia scriptorum veterum graecorum*, 4e éd. G. C. Harles, vol. 7, Hamburg 1801, p. 114-116.

Freeman, *The Pre-Socratic Philosophers*, Oxford 1946, p. 441.

Freppel, C. E., *Les apologistes chrétiens au IIe siècle*, vol. 2, Paris 1860, p. 55-74.

Gaul, W., *Die Abfassungsverhältnisse der pseudojustinischen «Cohortatio ad Graecos»*, Berlin 1902 (?).

Gennaro, S., *Sullo Scherno di Ermia Filosofo*, Catania 1950 (Centro di Studi di arte e lett. cristiana antica).

Harnack, A., *Die Überlieferung der griechischen Apologeten des 2. Jahrhunderts in der alten Kirche und im Mittelalter, TU* 1/1-2, Leipzig 1883, p. 74-175.

— *Geschichte der altchristliche Litteratur bis Eusebius.* I : *Die Überlieferung und der Bestand*, vol. 2, Leipzig 1893, p. 782-783 ; II : *Die Chronologie der Litteratur*, vol. 2, 1904, p. 196-197.

HITCHCOCK, F. W. M., « A skit on Greek Philosophy : By one Hermias probably of the reign of Julian, A.D. 362-363 », *Theol.* 32 (1936), p. 98-106.

KINDSTRAND, J. F., « The Date and Character of Hermias' *Irrisio* », *VigChr* 34 (1980), p. 341-357.

KNOFF, R., « Über eine neu untersuchte Handchrift zum Διασυρμὸς τῶν ἔξω φιλοσόφων des Hermias », *ZWTh* 43 (1900), p. 626-638.

KRÜGER, G., « Hermias », *The New Schaff-Herzog Encyclopedia of Religious Knowledge*, vol. 5, Grand Rapids 1950, p. 243.

— *History of early Christian literature in the first three centuries*, New York 1897, p. 137-138.

LOESCHCKE, G., « Hermias. 15. », *PW* VIII, 1 (1912), col. 832-833.

PUECH, A., *Les apologistes grecs du IIe s. de notre ère*, Paris 1912, p. 279-283.

ROBINSON, C., *Lucian and his Influence on Europe*, Londres 1979.

SCHAFF, P., *History of the Christian Church*, vol. 2, Édimbourg 1893[2], p. 741-742.

SCHMID, W. et STÄHLIN, O., *Geschichte der griechischen Litteratur*, II, 2, Munich 1924[6], p. 1295-1296.

STOKES, G. T., « Hermias », *A Dictionary of Christian Biography, Literature, Sects and Doctrines*, éd. W. Smith et H. Wace, vol. 2, Londres 1880, p. 927-928.

WAGENMANN, « Hermias », *Realencyclopädie für protestantische Theologie und Kirche*, vol. 6, Leipzig 1879, p. 42-43.

WENDLAND, P., Compte rendu de G. SCHALKHAUSSER, *Aeneas von Gaza als Philosoph* (1898), *ThLZ* 24 (1899), p. 180-181.

Zeegers-vander Vorst, N., *Les citations des poètes grecs chez les apologistes chrétiens du IIe siècle*, Louvain 1972, p. 119.

Traductions

Caillou, A. B., *Collectio selecta SS. Ecclesia Patrum*, vol. 2, Paris-Bruxelles 1829, p. 205-215 : introd., trad. latine de l'éd. Seiler corrigée.

Di Pauli von Treuheim, A., *Hermias' des Philosophen Verspottung der nichtchristlichen Philosophen, Bibl. der Kirchenvater 2/2*, Kempten-München 1913 : brève introd., trad. allemande de Leitl (ci-dessous) revue.

Genoude, A. E. de, *Défense du christianisme par les Pères des premiers siècles de l'Église contre les philosophes, les païens et les juifs*, série I, Paris 1842, 330-336 : trad. française.

— *Les Pères de l'Église traduits en français*, vol. 2, Paris 1838, p. 473-486 : brève introd., trad. française, notes.

Giles, J. A., *The Writings of the early Christians of the Second Century*, Londres 1857, p. VII et 193-199 : brève introd., trad. anglaise.

Hitchcock, F. W. M., voir ci-dessus : trad. anglaise de la plus grande partie du texte.

Leitl, J., *Des Philosophen Hermias Verspottung der heidnischen Philosophen*, Kempten 1873 : brève introd., trad. allemande.

Rizzo, G. A., *Ermias il filosofo : Lo Scherno dei filosofi gentili*, Sienne 1929 : introd., trad. italienne.

Thienemann, W. F., *Hermias : Verspottung der heidnischen Philosophen*, Leipzig 1828 : introd., trad. allemande, notes.

Torraca, L., *I Dossografi Greci*, Padoue 1961, p. 429-435 et 480-482 : trad. à partir de l'éd. Diels, notes.

TEXTE ET TRADUCTION

HERMIAS

IRRISIO GENTILIVM PHILOSOPHORVM

Ἑρμείου φιλοσόφου
διασυρμὸς τῶν ἔξω φιλοσόφων.

1. Παῦλος ὁ μακάριος ἀπόστολος τοῖς τὴν Ἑλλάδα τὴν Λακωνικὴν παροικοῦσι Κορινθίοις γράφων· «Ὦ ἀγαπητοί, ἀπεφήνατο λέγων, ἡ σοφία τοῦ κόσμου τούτου μωρία παρὰ τῷ θεῷ», οὐκ ἀσκόπως εἰπών· δοκεῖ γάρ μοι τὴν ἀρχὴν
5 εἰληφέναι ἀπὸ τῆς τῶν ἀγγέλων ἀποστασίας. Δι' ἣν αἰτίαν οὐδὲ σύμφωνα οὐδὲ ὁμόλογα οἱ φιλόσοφοι πρὸς ἀλλήλους λέγοντες ἐκτίθενται τὰ δόγματα.

2. Οἱ μὲν γάρ φασιν αὐτῶν ψυχὴν εἶναι τὸ πῦρ, οἱ δὲ τὸν ἀέρα, οἱ δὲ τὸν νοῦν, οἱ δὲ τὴν κίνησιν, οἱ δὲ τὴν

Titulus φιλοσόφου : τοῦ φιλοσόφου Ω || φιλοσόφων : σόφων P *fortasse recte*

1, 1 τοῖς : *om.* D || 2 Κορινθίοις : *om. in tx. add. in mg.* F || 5 ἀπὸ τῆς : *om.* Ω || 6 οὐδὲ ... οὐδὲ *codd.* : οὔτε ... οὔτε *Wolf et plerique ed.* || ὁμόλογα : ὁμολογούμενα *coni. Seiler*

2, 1 τὸ πῦρ OQ : *add. glossam* Δημόκριτος *in mg.* P CDRZ *in tx. ante* τ. π. Ω (-κρητος FS) *in tx. post* τ. π. LN (οἷον Δημ. N) *sup. l.* MTV || 2 τὸν ἀέρα : *praem.* οἷον LMOQTV Ω *add. glossam* οἱ Στωικοί *in mg.* P CDRZ *in tx. post* τ. ἀ. Δ Ω || κίνησιν : κοίνησιν F *a.c. add. glossam* Ἡράκλητος *in mg.* P DRZ *in tx. post* κίν. Δ Ω (Ἡράκλειτος LMOQV Θ)

1, 1-2. Nous n'avons pu découvrir un parallèle satisfaisant à cette description curieuse et pas entièrement exacte des Corinthiens. Elle donne du moins à penser qu'Hermias ne vivait pas dans le voisinage de cette cité. Diels se trompe sans doute lorsqu'il voit dans παροι-

HERMIAS

SATIRE DES PHILOSOPHES PAÏENS

Du philosophe Hermias
Raillerie au sujet des philosophes
qui ne sont pas des nôtres.

1. Le bienheureux apôtre Paul, dans une lettre aux Corinthiens qui habitent la Laconie en Grèce, a déclaré : « Mes biens-aimés, la sagesse de ce monde est folie aux yeux de Dieu. » Il ne parlait pas inconsidérément : cette sagesse me paraît, en effet, avoir pris son origine dans l'apostasie des anges. C'est pour cette raison que les philosophes dans leurs discussions proposent des doctrines qui ne sont ni concordantes ni cohérentes.

2. Certains d'entre eux, en effet, disent que l'âme est feu, d'autres qu'elle est air, d'autres intellect, d'autres mouvement, d'autres une exhalaison, d'autres une énergie

κοῦσι une allusion aux gens de la côte. J. B. Lightfoot a écrit une note utile sur le sens biblique et chrétien de ce terme (*The Apostolic Fathers*, Vol. II, Part 1, sur *I Clem.* 1, 1 [London 1980], p. 5-6). Voir aussi L. Alfonsi dans *Aegyptus* 25 (1945) 60, où il cite le même texte de *I Clem.*

1, 5. Pour les anges apostats, voir l'Appendice I, p. 123.

2, 1-6. Démocrite tenait le feu pour l'élément constitutif de l'âme (si on en croit Aristote et Aetius, mais Théodoret met cette théorie au compte de Parménide, Hippasos et Héraclite) ; Anaxagore a proposé l'esprit, νοῦς (Aristote), et Thalès le mouvement (Aristote, Aetius, Thédoret). Alcméon a suggéré l'énergie venue des étoiles (Aristote) et, bien entendu, nul n'ignore que les Stoïciens le tenaient pour le *pneuma*.

ἀναθυμίασιν, οἱ δὲ δύναμιν ἀπὸ τῶν ἄστρων ῥέουσαν, οἱ δὲ
ἀριθμὸν κινητικόν, οἱ δὲ ὕδωρ γονοποιόν, οἱ δὲ στοιχεῖον
5 <ἢ> ἀπὸ στοιχείων, οἱ δὲ ἁρμονίαν, οἱ δὲ τὸ αἷμα, οἱ δὲ
τὸ πνεῦμα, οἱ δὲ τὴν μονάδα, καὶ οἱ παλαιοὶ τὰ ἐναντία.
Πόσοι λόγοι περὶ τούτων, ἐπιχειρήσεις πόσαι, πόσαι δὲ καὶ
σοφιστῶν ἐριζόντων μᾶλλον ἢ τἀληθὲς εὑρισκόντων;

3. Ἀλλὰ γὰρ ἔστω· στασιάζουσι μὲν περὶ τῆς ψυχῆς ***
τὰ δὲ λοιπὰ περὶ αὐτῆς ὁμονοοῦντες ἀπεφήναντο· † καὶ
ἄλλοι † τὴν ἡδονὴν αὐτῆς ὁ μέν τις ἀγαθὸν καλεῖ, ὁ δέ τις
κακόν, ὁ δ' αὖ μέσον ἀγαθοῦ καὶ κακοῦ, τὴν δὲ ἄλυσιν
5 αὐτῆς ὁ μέν τις ἀγαθὸν καλεῖ, ὁ δέ τις κακόν, ὁ δ' αὖ
μέσον ἀγαθοῦ καὶ κακοῦ, τὴν δὲ φύσιν αὐτῆς οἱ μὲν ἀθάνατόν φασιν, οἱ δὲ θνητήν, οἱ δὲ πρὸς ὀλίγον ἐπιδιαμένουσαν,
οἱ δὲ ἀποθηριοῦσιν αὐτήν, οἱ δὲ εἰς ἀτόμους διαλύουσιν,
οἱ δὲ τρὶς ἐνσωματοῦσιν, οἱ δὲ τρισχιλίων ἐτῶν περιόδους

2, 3 ἀναθυμίασιν *add. glossam in mg.* Πλατ. P ‖ 4 κινητικόν *add. glossam* Πυθάγορας *in mg.* P CDRZ *in tx. post* κιν. Δ Ω ‖ γονοποιόν : γονοποιιόν F *add. glossam* Ἵππων *in mg.* P C *in tx. post* γονο. Δ ἵππον *in tx. post* γονο. E *(glossam* εἶπον *in mg.)* εἶπον *in tx. post* γονο. Θ εἴππων *in tx.* FS ‖ στοιχεῖον : στοιχείων Ψ ‖ 5 ἢ *suppl. Kerferd* ‖ ἁρμονίαν : *add. glossam* Δείναρχος *in mg.* P CDRZ (Διν- CDRZ) *in tx. post* ἁρμ. Δ Ω (Δην- N Διν- Ω) ‖ αἷμα : *add. glossam* Κριτίας *in mg.* P CDRZ (Κρατείας CDRZ) *in tx. post* αἷμα L MNOQT Ω (Κρα- Ω) ‖ 6 μονάδα : *add glossam* Πυθάγορας *in mg.* P *in tx. post* μον. *rell.* ‖ 7 ἐπιχειρήσεις : ἐπιχαρήσεις F ‖ πόσαι (1) *om.* O *(add. in mg.)* T Ω ‖ δὲ καὶ *codd.* : δίκαι *coni. Usener* δὲ φιλοσόφων τε καὶ *coni. Seiler* ‖ 8 σοφιστῶν : σοφιστικῶν V ‖ τἀληθὲς εὑρισκόντων : τἀλληθὲς εὑρυσκόντων F

3, 1 τῆς : *om.* Ω ‖ ψυχῆς : *lacunam coniecerunt plerique edd.* (τῆς οὐσίας τῆς ψυχῆς *coni. Menzel* τῆς ψυχῆς τί ἔστιν *coni. Diels*) ‖ 2 καὶ : *add.* μὴν *coni. Seiler* ‖ 3 ἄλλοι : ἄλλην P Ω οὐ μὴν ἀλλα *coni. Menzel* καίτοι *coni. Diels*; *textus uitiosus forte* καὶ μὴν ἄλλοι ἄλλο ‖ 4-6 τὴν — κακοῦ P : *om.* Δ Ω ‖ 4 δὲ ἄλυσιν : *coni. Neal* διάλυσιν P ‖ 7 φασιν : φασι QT Ψ φα *uel* φ^{α} P LMOV ‖ θνητήν : θνητοί Ψ ‖ ἐπιδιαμένουσαν : ὑθιδιαμένουσαν LM ἐπιδιαμένουσα Ω ‖ 9 τρὶς ἐνσωματοῦσιν P *(coni. Seiler)* : τρισενσωματοῦσαν Δ τρεῖς ἐνσωματοῦσαν Ω ‖ 9-11 περιόδους — ἐτῶν *om.* F *(add. in mg.)*

tombant des étoiles ; certains disent qu'elle est un nombre moteur, d'autres qu'elle est l'eau qui génère, d'autres un élément <ou> un composé d'éléments, d'autres une harmonie, d'autres le sang, d'autres le souffle, d'autres la monade, et les anciens disent qu'elle est faite d'éléments contraires. Combien de paroles ont été dites sur ce sujet, combien d'argumentations, combien de raisonnements qui sont ceux de sophistes en lutte les uns avec les autres plus qu'en recherche de la vérité ?

3. Eh bien soit ! ils ne sont pas d'accord sur l'âme... Mais sur les autres questions la concernant, ils se sont montrés d'accord ! Sur le plaisir de l'âme, l'un dit que c'est un bien, l'autre un mal, un troisième le situe entre bien et mal. Quant à sa détresse, l'un la qualifie de bonne, l'autre de mauvaise, l'autre entre les deux. Sur sa nature, les uns disent qu'elle est immortelle, les autres mortelle, d'autres qu'elle survit quelque temps, certains la transforment en bête sauvage, d'autres la désagrègent en atomes, d'autres lui donnent de se réincarner trois fois, d'autres limitent sa

2, 4-5. Στοιχεῖον ἀπὸ στοιχείων, leçon de tous les manuscrits en dehors du groupe Ψ, est inadmissible. La leçon que nous avons adoptée concorde avec celle du *De Anima* I d'Aristote, 405 b 13 s.

2, 6. Malgré Diels, nous avons gardé la leçon καὶ οἱ παλαιοὶ τὰ ἐναντία, commune à tous les manuscrits.

2, 7. La leçon de tous les manuscrits δὲ καί est difficile mais non pas impossible. La conjecture d'Usener, δίκαι, force le sens de ce mot et ne s'impose pas.

3, 4. Nous avons adopté la conjecture de Neal, τὴν δέ ἄλυσιν, allusion, semble-t-il, à la détresse (ἄλυσις) de l'âme par opposition à son plaisir mentionné en 3, 3. Peut-être cette répétition, propre au seul P, représente-t-elle une corruption du texte original décrivant un autre aspect de cette détresse ?

3, 8 s. On pouvait dire que les Pythagoriciens changeaient l'âme en animal par leur doctrine de la réincarnation (voir Diels citant Épiphane, *De Fide* 9, 12 [505]). Diels suggère aussi le *Timée* 42 et la *République* de Platon X, 618 s. Les Épicuriens dissolvaient l'âme en atomes ; les allusions à une triple incarnation et à une période de trois mille ans visent sans doute Platon, *Phèdre* 249 a.

10 αὐτῇ ὁρίζουσιν. Καὶ γὰρ οἱ μηδὲ ἑκατὸν ἔτη ζῶντες περὶ τρισχιλίων ἐτῶν μελλόντων ἐπαγγέλλονται.

4. Ταῦτα οὖν τί χρὴ καλεῖν; Ὡς μὲν ἐμοὶ δοκεῖ, τερατείαν ἢ ἄνοιαν ἢ μανίαν ἢ στάσιν ἢ ὁμοῦ πάντα. Εἰ μέν τι ἀληθὲς εὑρήκασιν, ὁμονοησάτωσαν ἢ συγκατατιθέσθωσαν, κἀγὼ τότε ἄσμενος αὐτοῖς πεισθήσομαι, εἰ δὲ ἀντισπῶσι τὴν 5 ψυχὴν καὶ ἀνθέλκουσιν ἄλλως εἰς ἄλλην φύσιν, ἕτερος δὲ εἰς ἑτέραν οὐσίαν, ὕλην δὲ ἐξ ὕλης μεταβάλλουσιν — ὁμολογῶ γὰρ ἄχθεσθαι τῇ παλιρροίᾳ τῶν πραγμάτων. Νῦν μὲν ἀθάνατός εἰμι καὶ γέγηθα, νῦν δ' αὖ θνητὸς γίνομαι καὶ δακρύω· ἄρτι δὲ εἰς ἀτόμους διαλύομαι, ὕδωρ γίνομαι, 10 ἀὴρ γίνομαι, πῦρ γίνομαι· εἶτα μετ' ὀλίγον οὔτε ἀὴρ οὔτε πῦρ, θηρίον με ποιεῖ, ἰχθύν με ποιεῖ, πάλιν οὖν ἀδελφοὺς ἔχω δελφῖνας· ὅταν δὲ ἐμαυτὸν ἴδω, φοβοῦμαί μου τὸ σῶμα καὶ οὐκ οἶδα ὅπως αὐτὸ καλέσω, ἄνθρωπον ἢ κύνα ἢ λύκον ἢ ταῦρον ἢ ὄρνιν ἢ ὄφιν ἢ δράκοντα ἢ χίμαιραν· εἰς πάντα 15 γὰρ τὰ θηρία ὑπὸ τῶν φιλοσοφούντων μεταβάλλομαι, χερσαῖα ἔνυδρα πτηνὰ πολύμορφα ἄγρια τιθασὰ ἄφωνα

3, 10 αὐτῇ : αὐτῆς Ω || ὁρίζουσι : ὁρίζουσα V ὁρίζουσαν N || οἱ μηδὲ : εἰ μηδὲ (οἱ μὴ *in mg.* R) Δ RZ Ψ

4, 2 ἄνοιαν : ἄνοια N || τι ἀληθὲς *codd.* : τἀληθὲς *coni. Diels* || 3 εὑρήκασιν : εὑρήκασαν N || 4 ἄσμενος : ἀσμένως Ω (-ος -ως *sup. l.* F) || ἀντισπῶσι : ἂν παύωσι L || 5 ἄλλως : ἄλλος *coniecerunt edd.* || δὲ *om.* P || 6 μεταβάλλουσιν : μεταλαμβάνουσιν Ω μεταβάλλουσαν N || 7 γὰρ ἄχθεσθαι : γὰρ ἄρχεσθαι E γε ἄχθεσθαι *coni. Maran* ὑπεράχθεσθαι *coni. Menzel* || παλιρροίᾳ : παλιροίᾳ N πορροίᾳ D πολυρροίᾳ CRXZ πολιρροίᾳ FS πολιρρίᾳ E || 9 ἄρτι : ἄρτυ Ψ || 10 ἀὴρ : *coni. Menzel* καὶ ἀὴρ *codd.* || γίνομαι[1] : γίνονται D *(corr. sup. l.)* || ὀλίγον : *add.* οὔτε ὕδωρ *coni. Otto* || 11 με[1] : μὲν N δὲ Ω || ἰχθύν με ποιεῖ *om.* QT Ω (*cum signo in mg.* C T) || 12 ἔχω : ἔξω Ω || δελφῖνας : δελφῖναι Ψ || ἐμαυτὸν : ἐμαυτῶν D (-ὸν *sup. l.*) || ἴδω : ἰδών N ἴσω Ψ || μου P : *om.* Δ Ω || τὸ : τῷ Ψ|| 13 ἢ λύκον *om.* F *(add. in mg.)* || 14 χίμαιραν : χίμαιρα LMOQV || 15 μεταβάλλομαι : μεταβάλλομεν Ψ || 16 πτηνὰ : πτυνὰ F || τιθασὰ P : τιθασσὰ Δ Ω || 17 εὔφωνα *om.* R || ἵπταμαι P : ἵπταμαι πέτομαι Δ Ω (ἵπταιμαι Ψ) || 18 ἔστι δὲ ὅτε P *(coni. Seiler Wolf)* : ἔστι δὲ ὁ Δ Ω (ἔτι *in mg.* D) ἔτι δὲ ὁ *coni. Menzel et Diels* || ποιεῖ : ποιεῖν Ω

vie à des périodes de trois mille ans. Bon ! voilà des gens qui ne vivent même pas cent ans et qui osent faire des promesses sur un avenir de trois mille ans !

4. Comment donc faut-il qualifier ces idées ? A mon avis fabulation ou déraison ou folie ou machination, ou tout cela à la fois. S'ils ont découvert quelque vérité, qu'ils se trouvent une pensée commune ou qu'ils se mettent d'accord, alors moi je leur donnerai avec plaisir mon assentiment. Mais s'ils écartèlent l'âme, s'ils la tirent vers diverses natures, s'ils lui attribuent une substance différente, s'ils la font passer d'une matière à une autre, j'avoue que je supporte mal ce flux et ce reflux. Tantôt je suis immortel et je m'en réjouis, tantôt je suis mortel et je pleure. Je viens d'être réduit en atomes, je deviens de l'eau, je deviens de l'air, je deviens du feu. Peu après je ne suis ni air, ni feu, ils me font bête sauvage, ils me font poisson ; et ainsi j'ai les dauphins pour frères ! Toutes les fois que je me regarde, je suis effrayé par mon corps et ne sais comment l'appeler : homme, chien, loup, taureau, oiseau, serpent, dragon, chimère. Les philosophes me changent en toutes sortes de bêtes sauvages, en animaux terrestres, aquatiques, ailés, multiformes, sauvages,

4, 5. Nous avons maintenu la leçon de tous les manuscrits ἄλλως, malgré la conjecture ἄλλος de Seiler.

4, 5 s. A propos de la destinée et de la nature de l'âme, les théories l'assimilant à diverses substances sont à attribuer respectivement à Hippon pour l'eau, à Diogène d'Appollonie pour l'air, à Démocrite pour le feu, peut-être à Énée de Gaza pour une bête, mais cette référence pourrait être très générale.

4, 7. Nous avons gardé la leçon de tous les manuscrits (sauf MT), γὰρ ἄχθεσθαι ; plutôt que d'accepter un texte conjectural. Le καὶ γάρ de 5, 3-4 semble impliquer une légère ellipse qui suggère « Je mentionne ceci parce que ... » et en 4, 7, γάρ pourrait avoir la même force. Cf. une aposiopèse semblable en 18, 14-18.

εὔφωνα ἄλογα λογικά· νήχομαι ἵπταμαι ἕρπω θέω καθίζω. Ἔστι δὲ ὅτε Ἐμπεδοκλῆς καὶ θάμνον με ποιεῖ.

5. Ὅπου τοίνυν τὴν ἀνθρώπου ψυχὴν ὁμογνωμόνως εὑρεῖν οὐχ οἷόν τε τοῖς φιλοσοφοῦσι, σχολῇ γ' ἂν περὶ τῶν θεῶν ἢ περὶ κόσμου δύναιντο τἀληθὲς ἀποφήνασθαι. Καὶ γὰρ ταύτην <τὴν> ἀνδρείαν ἔχουσιν, ἵνα μὴ τὴν ἐμπληξίαν 5 εἴπω. Οἵ γὰρ τὴν ἰδίαν ψυχὴν εὑρεῖν οὐ δυνάμενοι, ζητοῦσι τὴν τῶν θεῶν αὐτῶν, καὶ οἵ τὸ ἴδιον σῶμα οὐκ εἰδότες τὴν τοῦ κόσμου φύσιν περιεργάζονται.

6. Πάνυ γοῦν περὶ τὰς ἀρχὰς τῆς φύσεως ἀνθίστανται ἀλλήλοις. Ὅταν μὲν Ἀναξαγόρας παραλάβῃ με, ταῦτα παιδεύει· Ἀρχὴ πάντων ὁ νοῦς καὶ οὗτος αἴτιος καὶ κύριος τῶν ὅλων καὶ παρέχει τάξιν τοῖς ἀτάκτοις καὶ κίνησιν τοῖς 5 ἀκινήτοις καὶ διάκρισιν τοῖς μεμιγμένοις καὶ κόσμον τοῖς ἀκόσμοις. Ταῦτα λέγων Ἀναξαγόρας ἐστί μοι φίλος καὶ τῷ δόγματι πείθομαι. Ἀλλ' ἀνθίσταται τούτῳ Μέλισσος καὶ Παρμενίδης. Ὅ γε μὴν Παρμενίδης καὶ ποιητικοῖς ἔπεσιν ἀνακηρύσσει τὴν οὐσίαν ἓν εἶναι καὶ ἀίδιον καὶ

5, 1 ὁμογνωμόνως : ὁμογνώμως Ω (*corr.* C) || 2 εὑρεῖν : οὑρεῖν F || οἷόν : οἷός D || σχολῇ : σχολήν Ω || 3 δύναιντο : δύναμιν Q δύναιτο Ω || 4 τὴν[1] *coni. Menzel* || ἀνδρείαν : ἀνδρίαν N || 5 οἵ P *(coni. Seiler)* : εἰ Δ Ω || ψυχὴν : *add.* ὁμογνωμόνως Ω || ζητοῦσι *coni. Worth* : οὐ ζητοῦσι *codd.* (*in rasura* P) ἐκζητοῦσι *coni. Seiler* || 6 τὴν[1] : *add.* φύσιν Ω || εἰδότες : οἰδότες Ψ

6, 1 πάνυ : πάνυν Ψ || ἀνθίστανται : ἀνθήστανται FSZ || 3 παιδεύει : παιδεύειν Θ || 4 ὅλων : ὅλλων F || 5 διάκρισιν : διάκρησιν FS || 7 ἀνθίσταται : ἀνθίστανται F || τούτῳ P *(coni. Wolf)* : τούτου Δ Ω || 9 ἀνακηρύσσει : ἀνακυρύσσει Q FS ἀνακηρύσσειν CD ἀνακυρίσσει E || εἶναι *add.* ἓν εἶναι ὁ Παρμενίδης καὶ ποιητικοῖς ἔπεσιν ἀνακυρύσσειν τὴν οὐσίαν F (*del.* καὶ π.ἐ.ἀ.τ. οὐσίαν F[c]) || ἀίδιον : ἀιδίως OQ || 10 πάντῃ *coni. Wolf* : παντὶ *codd.* || ὅμοιον : ὁμοίως OQ || 12 Ἀναξαγόραν : Ἀναξαγόρας F *(corr.)* O || γνώμης P *(coni. Menzel)* : *om.* Δ Ω

4, 17-18. Sur Empédocle v. *DK* I, 31, 276, 375, où (Frag. 117) l'on cite les mots d'Empédocle (d'après Diogène Laërce VIII, 77) : «Car

domestiques, muets, chanteurs, dépourvus de raison, raisonnables. Je nage, je vole, je rampe, je cours, je me pose. Et parfois même, Empédocle me fait buisson.

5. Bon ! Puisque les philosophes sont incapables de se mettre d'accord pour découvrir l'âme de l'homme, encore bien moins peuvent-ils dévoiler la vérité sur les dieux et sur l'univers. Eh bien ! ils ont l'audace, pour ne pas dire la stupidité de le faire : eux qui ne peuvent découvrir la nature de leur âme à eux, ils cherchent à définir celle des dieux eux-mêmes, eux qui ne connaissent pas leur propre corps, ils se mêlent de découvrir la nature de l'univers.

6. En tout cas, ils s'opposent grandement les uns aux autres sur les principes de la nature. Quand je rencontre Anaxagore, voici ce qu'il m'enseigne : « L'esprit est le principe de toutes choses, il est la cause et le maître de l'univers. Il organise ce qui est inorganisé, il donne le mouvement à ce qui est immobile, il démêle ce qui est emmêlé, il met l'ordre dans le désordre. » Quand il dit cela, Anaxagore m'est cher et je me laisse convaincre par son enseignement. Mais s'opposent à lui Mélissos et Parménide. Parménide en particulier, et même dans des vers poétiques, proclame que l'être est un, éternel, infini, immuable et parfaitement

déjà j'ai été jadis, avant d'être ce que je suis, un jeune homme, une jeune fille, un buisson (θάμνος), un oiseau et un poisson muet jaillissant de la surface de la mer. » Autrement dit, il énumérait ses incarnations antérieures selon la doctrine pythagoricienne.

6, 2. Sur Anaxagore, v. *DK* II, 59, 5-44. Les temporelles de 6, 2 et 7, 1 et la conditionnelle de 13, 10 utilisent la construction indéfinie avec ἄν et le subjonctif. Dans le contexte, elles ne peuvent se référer à l'avenir et peuvent donc s'interpréter comme des cas de la construction indéfinie et générale. S'il en est ainsi, c'est un joli trait qui indiquerait une forme cyclique dans la série des conversions d'Hermias.

6, 7. Nous avons adopté la leçon τούτῳ en suivant P contre les autres manuscrits. Diels, *ad. loc.*, se trompe quand il attribue la forme ἀνθίστανται au « codex Anglicanus » (notre C). Pour Melissos, v. *DK* I, 30, 250-276, et pour Parménide *ibid.* I, 28, 217-246.

10 ἄπειρον καὶ ἀκίνητον καὶ πάντῃ ὅμοιον. Πάλιν οὖν εἰς τοῦτο τὸ δόγμα οὐκ οἶδ' ὅπως μεταβάλλομαι· ὁ Παρμενίδης τὸν Ἀναξαγόραν τῆς ἐμῆς γνώμης ἐξήλασεν.

7. Ἐπειδὰν δὲ ἡγήσωμαι δόγμα ἔχειν ἀκίνητον, Ἀναξιμένης ὑπολαβὼν ἀντικέκραγεν· Ἀλλ' ἐγώ σοί φημι, τὸ πᾶν ἐστιν ὁ ἀήρ, καὶ οὗτος πυκνούμενος καὶ συνιστάμενος ὕδωρ καὶ γῆ γίνεται, ἀραιούμενος δὲ καὶ διαχεόμενος αἰθὴρ καὶ 5 πῦρ, εἰς δὲ τὴν αὐτοῦ φύσιν ἐπανιὼν ἀήρ [† ἀραιός, εἰ δὲ καὶ πυκνωθῇ, φησίν, ἐξαλλάσσεται]. Καὶ πάλιν αὖ τούτῳ μεθαρμόζομαι καὶ τὸν Ἀναξιμένην φιλῶ.

8. Ὁ δὲ Ἐμπεδοκλῆς ἄντικρυς ἕστηκεν ἐμβριμώμενος καὶ ἀπὸ τῆς Αἴτνης μέγα βοῶν· Ἀρχαὶ τῶν πάντων ἔχθρα καὶ φιλία, ἡ μὲν συνάγουσα ἡ δὲ διακρίνουσα· καὶ τὸ νεῖκος αὐτῶν ποιεῖ τὰ πάντα. Ὁρίζομαι δὲ αὐτὰ καὶ ὅμοια καὶ 5 ἀνόμοια, καὶ ἄπειρα καὶ πέρας ἔχοντα, καὶ ἀίδια καὶ γινόμενα. Εὖ γε ὦ Ἐμπεδόκλεις, ἕπομαί σοι καὶ μέχρι τῶν κρατήρων τοῦ πυρός.

9. Ἀλλ' ἐπὶ θάτερα Πρωταγόρας ἑστηκὼς ἀνθέλκει με φάσκων· Ὅρος καὶ κρίσις τῶν πραγμάτων ὁ ἄνθρωπος καὶ

7, 1 ἡγήσωμαι P *(coni. Wolf)* : ἡγησόμαι Δ Ω || δόγμα : δόγματα D || 3 ὁ : *om.* Δ Ω || 4 γῆ *Diels* : ἀὴρ *codd.* || διαχεόμενος : διαχρώμενος Ω || 5-6 ἀραιός — ἐξαλλάσσεται *textus corruptus uidetur* || 6 πυκνωθῇ : πικνωθῇ Ω || φησίν : φύσιν *coni. Wolf* || ἐξαλλάσσεται : ἐξαλλάσεται LO ἐξαλάσσεται Ψ || αὖ τούτῳ *coni. Menzel* : αὐτῷ τούτῳ P αὐτῷ τοῦτο LM (αὐτοῦ *in mg.*) NOT Ω αὐτὸν αὐτῷ τοῦτο Q (τούτῳ *in mg.*) V || 7 μεθαρμόζομαι : μεθαρμόζωμαι Ψ

8, 1 ἐμβριμώμενος *coni. Menzel* : ἐμβρυμούμενοι Θ ἐβριμούμενος *cett.* || 2 Αἴτνης : Ἔτνης P || 3 συνάγουσα : συνάγουσαν L || ἡ[3] : οἱ Ψ || 4 ὁρίζομαι : ὁρίζομεν Ω || 5 ἀνόμοια : ἀνομία F || 6 εὖ : οἱ E || ὦ Ἐμπεδόκλεις : ὦ Ἐμπεδοκλῆς NQ καὶ ὁ Ἐμπεδοκλῆς Ω || 7 κρατήρων : κατηγόρων F *(corr. in mg.)*

identique à lui-même. De nouveau, je ne sais comment, je change d'avis et me range à cette opinion. Parménide a chassé Anaxagore de mon esprit.

7. Mais, quand je pense tenir une doctrine solide, Anaximène intervient et conteste à grands cris : « Moi je t'affirme ceci : le tout c'est l'air, air qui, épaissi et condensé, devient eau et terre, raréfié et liquifié, devient éther et feu, mais, quand il retourne à sa propre nature [il se raréfie, mais s'il s'est densifié, dit-il, il sera chassé]... » Une fois de plus, je m'adapte à cette théorie et me mets à aimer Anaximène.

8. Mais à l'opposé se dresse Empédocle qui gronde et proclame à grands cris du fond de l'Etna : « La haine et l'amour sont les principes de toutes choses, l'un réunit, l'autre sépare, et la lutte qui les oppose crée toutes choses. Je les définis comme à la fois semblables et dissemblables, infinis et finis, éternels et venant à l'existence. » Bien, Empédocle, je te suis et même jusqu'au fond des cratères de feu.

9. Mais Protagoras, d'un autre côté, m'arrête et m'entraîne, en disant : « La mesure et le critère des choses, c'est

9, 1 θάτερα : θατέρῳ Ω || Πρωταγόρας : Προταγόρας Ω (*corr. sup. l.* C) || ἑστηκὼς : ἑστηκὸς Q || ἀνθέλκει : ἀνθέλκειν Θ ἀνέλκει Ψ || με : μὲν Ω || 2 κρίσις : κρίνις Q κρῆσις Ψ

7, 1. Sur Anaximène v. *DK* I, 13, 90-96.

7, 4. Nous avons ici remplacé le ἀήρ des manuscrits par γῆ ; voir Appendice II.

7, 5-6. Le texte est évidemment corrompu ; cf. Appendice II, p. 129.

7, 6. Nous avons adopté la conjecture de Menzel αὖ τούτῳ : la tradition manuscrite s'est très tôt corrompue.

8, 1-2. On prétendait qu'Empédocle s'était suicidé en se jetant dans le cratère de l'Etna en Sicile (voir *DK* I, 31, 280).

9, 1. Sur Protagoras, v. *DK* II, 80, 253-271.

τὰ μὲν ὑποπίπτοντα ταῖς αἰσθήσεσιν ἔστι πράγματα, τὰ δὲ μὴ ὑποπίπτοντα οὐκ ἔστιν ἐν τοῖς εἴδεσι τῆς οὐσίας. Τούτῳ
5 τῷ λόγῳ κολακευόμενος ὑπὸ Πρωταγόρου τέρπομαι, ὅτι τὸ πᾶν ἢ τὸ πλεῖστον τῷ ἀνθρώπῳ νέμει.

10. Ἀλλαχόθεν δέ μοι Θαλῆς τὴν ἀλήθειαν νεύει ὁριζόμενος ὕδωρ τοῦ παντὸς ἀρχήν. Καὶ ἐκ τοῦ ὑγροῦ τὰ πάντα συνίσταται καὶ εἰς ὑγρὸν ἀναλύεται, καὶ ἡ γῆ ἐπὶ ὕδατος ὀχεῖται. Διὰ τί τοίνυν μὴ πεισθῶ Θαλῆ τῷ
5 πρεσβυτέρῳ τῶν Ἰώνων ; Ἀλλ' ὁ πολίτης αὐτοῦ Ἀναξίμανδρος τοῦ ὑγροῦ πρεσβυτέραν ἀρχὴν εἶναι λέγει τὴν ἀίδιον κίνησιν καὶ ταύτῃ τὰ μὲν γεννᾶσθαι, τὰ δὲ φθείρεσθαι. Καὶ δὴ τοίνυν πιστὸς Ἀναξίμανδρος ἔστω.

11. Καὶ μὴν οὐκ ἐπιτρέπει τούτοις εὐδοκιμεῖν Ἀρχέλαος ἀποφαινόμενος τῶν ὅλων ἀρχὰς θερμὸν καὶ ψυχρόν. Ἀλλὰ καὶ τούτῳ πάλιν ὁ μεγαλόφωνος Πλάτων οὐχ ὁμολογεῖ λέγων ἀρχὰς εἶναι θεὸν καὶ ὕλην καὶ παράδειγμα. Νῦν μὲν

9, 3-4 ταῖς — ὑποπίπτοντα *om.* L *(add. in mg.)* || 4-5 τούτῳ τῷ λόγῳ : τοῦτον τῷ λόγῳ L τοῦτον τὸν λόγον Θ τοῦτο τὸν λόγον Ω Ψ || 5 Πρωταγόρου : Προτ. Ω || 6 τὸ² : τὸν Ψ || νέμει : μένει N

10, 2 τὰ *om.* F *(add. sup. l.)* || 3 *post* ἀναλύεται *add.* Ἰώνων ἀλλ' ὁ πολίτης αὐτοῦ F *et del.* || 4 μὴ πεισθῶ P *(coni. Seiler)* : μὴ πειθῶ Δ μοι πειθῶ Ω (πειθὼς E) || Θαλῆ : θάλλῆ Δ θαλῆς CRXZ || 5 πρεσβυτέρῳ : πρεσβυτάτῳ *coni. Menzel* || 5-6 Ἀναξίμανδρος : Ἀναξιμάνδρης Ω || 6 λέγει : λέγον L || τὴν : τὸν *per errorem Migne* || 7 ταύτῃ : ταύτην Ω || γεννᾶσθαι : γενᾶσθαι FS || 8 Ἀναξίμανδρος : Ἀναξιμάνδρης Ω

11, 1 ἐπιτρέπει τούτοις P : *om.* Δ Ω || εὐδοκιμεῖν : εὐδοκιμεῖ *coni. Seiler Diels* || 2 ἀποφαινόμενος P N : ὑποφαινόμενος *cett.* || ὅλων : ὅλον L ὅλλων F || 3 τούτῳ *(coni. Seiler)* : τούτου Δ τοῦτον Ω || Πλάτων : Πλατίων F || ὁμολογεῖ : ὁμολογεῖν CD || 4 θεὸν : θεῶν Ω || καὶ² : τὸ F || παράδειγμα : παραδείγματα D

9, 5. Κολακευόμενος rappelle la réputation traditionnelle de ce philosophe. La comédie d'Eupolis, *Les Flatteurs* (κόλακες), jouée à Athènes en 421 av. J.-C., le représentait sous les traits d'un sycophante, compagnon de débauche de Callias ; v. L. Alfonsi, « Protagora adulatore » dans *Annali della Scuola Normale Superiore di Pisa*, 16 (1947) p. 193-194.

l'homme. La réalité, c'est ce qui tombe sous les sens, et ce qui ne tombe pas sous les sens n'a aucune espèce d'existence.» Je suis flatté et charmé par ce raisonnement de Protagoras, parce qu'il soumet tout ou presque tout à l'homme.

10. Mais voici que, d'un autre endroit, Thalès, avec un signe de tête affirmatif, m'indique la vérité. Il définit l'eau comme principe de tout. C'est de l'élément humide que tout se forme, c'est en élément liquide que tout se dissout, et la terre flotte sur l'eau. Pourquoi donc ne serais-je pas convaincu par Thalès qui est le plus ancien des Ioniens? Mais son compatriote Anaximandre dit qu'il y a un principe plus ancien que l'eau, le mouvement perpétuel, et que c'est par ce mouvement que certaines choses sont engendrées, d'autres détruites. Eh bien donc, faisons confiance à Anaximandre.

11. Archélaos pourtant ne laisse aucun crédit à ces derniers quand il démontre que les principes de l'univers sont le chaud et le froid. Mais il est contredit lui aussi par la voix puissante de Platon : «Les principes, dit-il, sont Dieu, la matière, le modèle». Bien sûr, maintenant, je suis

10, 1. Sur Thalès, v. *DK* I, 11, 67-81.
10, 5. Sur Anaximandre, v. *DK* I, 12, 81-90.
11, 1. Sur Archélaos, v. *DK* II, 60, 44-49.
11, 4. Hermias se trompe en attribuant à Platon l'idée que la matière (ὕλη) est un des éléments. La raison de cette méprise apparaîtra si on se réfère à Théophraste (Diels, *Dox.* 485, 2). Platon «veut mettre en place deux principes, d'une part le substrat ou matière ...». Le «réceptacle» (ὑποδοχή) du *Timée* devait presque fatalement se confondre avec la «matière» d'Aristote. Cette erreur indique qu'Hermias n'utilisait pas le texte même de Platon, mais se fondait sur la tradition doxographique où, de façon habituelle, l'on attribue trois éléments à Platon (v. Diels, *Dox.* 257, 17; 587, 8; 591, 17). On trouvera un exemple semblable de cette méprise dans Hippolyte (peut-être contemporain d'Hermias) *Refutatio* I, 19, 1 (= Diels *Dox.* 567, 7). Voir Appendice IV, p. 134.

5 καὶ δὴ πέπεισμαι. Πῶς γὰρ οὐ μέλλω πιστεύειν φιλοσόφῳ
τῷ τοῦ Διὸς ἅρμα πεποιηκότι ; Κατόπιν δὲ αὐτοῦ μαθητὴς
Ἀριστοτέλης ἕστηκε ζηλοτυπῶν τὸν διδάσκαλον τῆς ἁρμα-
τοποιίας. Οὗτος ἀρχὰς ἄλλας ὁρίζεται τὸ ποιεῖν καὶ τὸ
πάσχειν. Καὶ τὸ μὲν ποιοῦν ἀπαθὲς εἶναι τὸν αἰθέρα, τὸ
10 δὲ πάσχον ἔχειν ποιότητας τέσσαρας, ξηρότητα ὑγρότητα
θερμότητα ψυχρότητα· τῇ γὰρ τούτων εἰς ἄλληλα μεταβολῇ
πάντα γίνεται καὶ φθείρεται.

12. Κεκμήκαμεν ἤδη μεταβαλλόμενοι ἄνω καὶ κάτω τοῖς
δόγμασι. Πλὴν ἐπί γε τῆς Ἀριστοτέλους γνώμης στήσομαι
καὶ μηκέτι μοι μηδὲ εἷς λόγος ὀχλείτω. Ἀλλὰ τί δῆτα
πάθοιμ' ἄν ; Νευροκοποῦσι γάρ μου τὴν ψυχὴν ἀρχαιότεροι
5 τούτων γέροντες. Φερεκύδης μὲν ἀρχὰς εἶναι λέγων Ζῆνα
καὶ Χθονίην καὶ Κρόνον· Ζῆνα μὲν τὸν αἰθέρα, Χθονίην δὲ
τὴν γῆν, Κρόνον δὲ τὸν χρόνον· ὁ μὲν αἰθὴρ τὸ ποιοῦν, ἡ
δὲ γῆ τὸ πάσχον, ὁ δὲ χρόνος ἐν ᾧ τὰ γινόμενα. Ζηλοτυπία
τοίνυν τῶν γερόντων πρὸς ἀλλήλους. Ταῦτα γάρ τοι πάντα
10 ὁ Λεύκιππος λῆρον ἡγούμενος ἀρχὰς εἶναί φησι τὰ ἄπειρα
καὶ ἀεικίνητα καὶ ἐλάχιστα· καὶ τὰ μὲν λεπτομερῆ ἄνω
χωρήσαντα πῦρ καὶ ἀέρα γενέσθαι, τὰ δὲ παχυμερῆ κάτω
ὑποστάντα ὕδωρ καὶ γῆν.

11, 5 μέλλω : μέλλει Ω || πιστεύειν : πιστεύει Ω || 6 τῷ τοῦ : τὸ τοῦ Ω τῷ τὸ *coni. Diels* || 6-7 ἅρμα — διδάσκαλον τῆς *om.* F *(add. in mg.)* || πεποιηκότι : πεποιηκο[T] FS πεποιηκότες Θ || κατόπιν : κατόπην Δ || 8 ποιεῖν : ποιοῖν X ποιοῦν *coni. Menzel Diels* || 9 πάσχειν : πάσχον *coni. Menzel Diels* || 9-10 καὶ τὸ μὲν — πάσχον *om.* Ω (*cum signo* ↑ C) || 10 ἔχειν : *coni. Menzel* ἔχον P LMNQTV ἔχων O Ω || 11 ξηρότητα : ξυρότητα Ψ || 11 τῇ : τὸ Ω || τούτων : τοῦτο Ω || 12 γίνεται καὶ φθείρεται : γίνεσθαι καὶ φθείρεσθαι *coni. Menzel*

12, 1 κεκμήκαμεν : κέκμηκα μὲν *coni. Seiler* || μεταβαλλόμενοι *(coni. Menzel)* : μεταμελλόμενοι Δ (μεταβαλόμενος *in mg.* N) μεταμελόμενοι Ω || ἄνω : ἀνῷ Ω (τῶν ἀνῶν D ἀνῷ *in mg.*) ἀνθρωπῷ F || 2 ἐπὶ P *(coni. Seiler)* : ἔτι Δ Ω (*corr. in mg.* C) || 3 λόγος *om.* P || 4 πάθοιμ' ἄν : πάθοι μήν O πάθομεν ἄν Ω (πάθομεν ἄν D) || νευροκοποῦσι : νευροκοποιοῦσι Ω (-ποιοῦσι S -πίουσι *in mg.*) νευροσπαστοῦσι *coni. Usener Diels* || 6-7 Κρόνον· Ζῆνα — δὲ τὸν *om.* Ω (*cum signo* ↑ C) ||

convaincu. Comment pourrais-je ne pas croire un philosophe qui a construit le char de Zeus ? Mais derrière lui se tient son disciple Aristote, jaloux de ce maître ès construction de char. Il définit d'autres principes : l'agir et le subir. Le principe actif que rien n'affecte, c'est l'éther, le principe passif a quatre qualités : sécheresse, humidité, chaleur, froid. En effet, c'est par le passage de ces qualités de l'une à l'autre que tout se fait et se défait.

12. Nous voici épuisés d'être ainsi ballottés entre ces systèmes. Aussi vais-je m'en tenir à l'avis d'Aristote ; et qu'aucun argument ne vienne plus me troubler ! Mais que va-t-il alors m'arriver ? De vieux philosophes antérieurs à ceux-ci me coupent l'énergie de l'âme. Phérécyde me coupe les jambes en affirmant que les principes sont Zeus, Chthonia, Cronos. Zeus est l'éther, Chthonia la terre, Cronos le temps : l'éther est le principe actif, la terre le passif, et le temps est ce au sein de quoi les choses viennent à l'existence. Il y a donc rivalité des anciens entre eux. Leucippe pense, en effet, que toutes ces affirmations ne sont que bêtises. Il dit que les principes sont l'infini, le mouvement perpétuel, les très petits éléments, que ceux qui sont subtils montent et deviennent air et feu, que ceux qui sont épais descendent et deviennent terre et eau.

8 πάσχον : πάσχων Ψ || ζηλοτυπία : ζηλοτυπ Δ (-πω Q) ζηλοτυπεῖ Θ (X *in mg.* C) ζηλοτυπή Ψ ζηλότυποι *coni. Migne* || 9 τοίνυν *om.* Ω || τοι πάντα *om.* Ω (*cum signo* ↑ C) || 10 Λεύκιππος : Λεύκιπος X || ἀρχὰς : ἀργοῦ Θ F ἀρχῆς ES || φησι : φσ' LMO φασι TV Ω || 11 ἀεικίνητα *coni. Wolf Worth* : ἀκίνητα *codd.* || τὰ : τὸ CD || 12 τὰ δὲ : καὶ *(del.)* τὰ (*add.* δέ *sup. l.*) F || 13 γῆν : γῆ Ω

11, 6. La mention du chariot de Zeus fait allusion au *Phèdre* de Platon 246 e.

12, 5. Sur Phérécyde, v. *DK* I, 7, 43-51.

12, 6. Chthonia était une déesse dont le nom vient du mot grec χθών, « terre ». Cronos était un dieu traditionnel du panthéon grec. Il était le père de Zeus et son nom rappelle le mot grec χρόνος, « temps ».

12, 10. Pour Leucippe, v. *DK* II, 67, 70-81.

13. Μέχρι ποῦ τὰ τοσαῦτα διδάσκομαι μηδὲν ἀληθὲς μανθάνων ; Πλὴν εἰ μή τί γε Δημόκριτος ἀπαλλάξει με τῆς πλάνης ἀποφαινόμενος ἀρχὰς τὸ ὂν καὶ τὸ μὴ ὄν, καὶ τὸ μὲν ὂν πλῆρες, τὸ δὲ μὴ ὂν κενόν. Τὸ δὲ πλῆρες ἐν τῷ
5 κενῷ τροπῇ καὶ ῥυθμῷ ποιεῖ τὰ πάντα· ἴσως ἂν πεισθείην τῷ καλῷ Δημοκρίτῳ καὶ βουλοίμην ἂν σὺν αὐτῷ γελᾶν, εἰ μὴ μεταπείθοι με Ἡράκλειτος κλαίων ὁμοῦ καὶ λέγων, Ἀρχὴ τῶν ὅλων τὸ πῦρ, δύο δὲ αὐτοῦ πάθη ἀραιότης καὶ πυκνότης, ἡ μὲν ποιοῦσα ἡ δὲ πάσχουσα, ἡ μὲν συγκρίνουσα
10 ἡ δὲ διακρίνουσα. Ἱκανῶς ἔχει μοι, κἂν ἤδη μεθύω ταῖς τοσαύταις ἀρχαῖς.

14. Ἀλλά με παρακαλεῖ κἀκεῖθεν Ἐπίκουρος μηδαμῶς ὑβρίσαι τὸ καλὸν αὐτοῦ δόγμα τῶν ἀτόμων καὶ τοῦ κενοῦ. Τῇ γὰρ τούτων συμπλοκῇ πολυτρόπῳ καὶ πολυσχηματίστῳ τὰ πάντα γίνεται καὶ φθείρεται. Οὐκ ἀντιλέγω σοι, βέλτιστε
5 ἀνδρῶν Ἐπίκουρε· ἀλλ' ὁ Κλεάνθης ἀπὸ τοῦ φρέατος ἐπάρας τὴν κεφαλὴν καταγελᾷ σου τοῦ δόγματος καὶ αὐτὸς ἀνιμᾷ τὰς ἀληθεῖς ἀρχὰς θεὸν καὶ ὕλην. Καὶ τὴν μὲν γῆν μεταβαλεῖν εἰς ὕδωρ, τὸ δὲ ὕδωρ εἰς ἀέρα, τὸν δὲ ἀέρα

13, 1 τοσαῦτα : τοιαῦτα *sup. l.* R ‖ διδάσκομαι : διδάσκαλε CDR διδασκάλαι TX *(dub.)* Ψ διδάσκειν Z ‖ 2 μανθάνων : μανθάνω Ω ‖ Δημόκριτος : Δημόκρητος FS ‖ 3-4 καὶ τὸ μὲν ὂν *om.* Ω ‖ 4 τὸ δὲ μὴ ὂν : καὶ τὸ μὴ ὂν Θ καὶ τὸ μὴ ὂν πλῆρες καὶ τὸ μὴ ὂν Ψ (π.κ.τ.μ.ὀ *in mg.* F) ‖ κενόν : καινόν Ψ (καιρόν S *corr. sup. l.*) ‖ 5 τρόπη : τρόπην Θ ‖ καὶ P : ἢ Δ Ω ‖ ῥυθμῷ : ῥυθμὸν Ω ῥυσμῷ *coni. Seiler* ‖ ποιεῖ : ποιεῖν *coni. Wolf* ‖ πεισθείην : πεισθείη Θ πισθείη Ψ ‖ 6 ἂν : ὂν Q ‖ 7 μεταπείθοι : μεταποίθοι Ψ ‖ με P *(coni. Seiler)* : μὲν Δ Θ ‖ Ἡράκλειτος : Ἡράκλητος L Ψ ‖ κλαίων : κλέων Ω ‖ 9 πυκνότης : πικνότης Ω (πιγνότης D *corr. sup. l.*) ‖ 10 ἔχει : ἔχοι Θ F *(corr.)* ‖ κἂν : καὶ *coni. Menzel* ‖ ἤδη : εἰ δὴ Ψ (*corr.* F)

14, 2 κενοῦ : καιροῦ Ω (*corr. sup. l.* C) ‖ 3 τούτων : τούτου Θ τοῦτον Ψ ‖ 4 γίνεται καὶ φθείρεται : γίνεσθαι καὶ φθείρεσθαι *coni. Menzel* ‖ ἀντιλέγω σοι : ἀντιλέγουσι Ω ‖ 5 φρέατος : φρέαρτος CDRX Ψ ‖ 7 ἀνιμᾷ *coni. Menzel* : ἀνείμων C ἀνείμω *cett.* ‖ 8 μεταβαλεῖν : μεταβάλλειν *coni. Diels* ‖ ἀέρα[1] *add. signum* C

13. Jusqu'à quand recevrai-je de tels enseignements sans rien apprendre de vrai ? A moins que Démocrite ne m'arrache à l'erreur en me démontrant que les principes sont l'être et le non-être, que l'être est plein et le non-être vide, que dans le vide le plein crée toutes choses par position et forme. Peut-être pourrais-je être convaincu par le beau Démocrite et voudrais-je rire avec lui, si Héraclite ne changeait mon opinion en disant au milieu de ses larmes : «Le principe de l'univers, c'est le feu, il existe sous deux états : la porosité et la densité. La première est active, la seconde passive, la première unit, la seconde sépare.» Je suis satisfait, même si des principes d'une telle importance me font tourner la tête !

14. Mais Épicure me prie de ne pas me fonder là-dessus pour faire injure à sa belle théorie des atomes et du vide, car c'est par l'entrelacement des atomes, de multiples façons et sous de multiples formes, que tout se fait et se défait. Je ne te contredis pas, Épicure mon très cher ami ; mais Cléanthe, sortant la tête du puits, se moque de ta théorie et fait remonter de ses propres mains les vrais principes : Dieu et la matière. Il dit que la terre se change en eau, l'eau en plein air, l'air *** et le feu va vers les régions

13, 2-6. Sur Démocrite, v. *DK* II, 68, 81-230. On le regardait traditionnellement comme le philosophe-qui-rit.

13, 5. Nous avons traduit ῥυθμῷ par «forme» parce que Démocrite emploie le mot avec un sens particulier pour indiquer la «forme» (σχῆμα) plutôt que le «rythme»; cf. Aetius I, 15, 8 (= Diels, *Dox.* 314, 5).

13, 7. Sur Héraclite, v. *DK* I, 22, 139-190. Par opposition à Démocrite la tradition voyait en lui le philosophe-qui-pleure.

13, 10. On peut traduire ἱκανῶς ἔχει de deux façons : ou bien «je suis satisfait» ou «j'en ai assez !». A la ligne suivante il faut maintenir la leçon κἂν (contre la correction trop facile de Menzel à la suite de Seiler : καὶ) et μεθύω doit s'entendre au sens rare, mais non sans exemple, de «la tête me tourne» (plutôt qu'au sens péjoratif de «je suis ivre»).

14, 5. Voir *PW*, *s.v.* «Kleanthes», XI.1, 550-574 (1921).

† φέρεσθαι, τὸ δὲ πῦρ εἰς τὰ περίγεια χωρεῖν, τὴν δὲ ψυχὴν
10 δι' ὅλου τοῦ κόσμου διήκειν, ἧς μέρος μετέχοντας ἡμᾶς
ἐμψυχοῦσθαι.

15. Τούτων τοίνυν τοσούτων ὄντων ἄλλο μοι πλῆθος ἀπὸ
Λιβύης ἐπιρρεῖ, Καρνεάδης καὶ Κλειτόμαχος καὶ ὅσοι
τούτων ὁμιληταὶ πάντα τὰ τῶν ἄλλων δόγματα καταπα-
τοῦντες, αὐτοὶ δὲ ἀποφαινόμενοι διαρρήδην ἀκατάληπτα
5 εἶναι τὰ πάντα καὶ ἀεὶ τῇ ἀληθείᾳ φαντασίαν παρακεῖσθαι
ψευδῆ. Τί τοίνυν πάθω τοσούτῳ χρόνῳ ταλαιπωρήσας ; Πῶς
δέ μου τῆς γνώμης ἐκχέω τὰ τοσαῦτα δόγματα ; Εἰ γὰρ
μηδὲν εἴη καταληπτόν, ἀλήθεια μὲν ἐξ ἀνθρώπων οἴχεται,
ἡ δὲ ὑμνουμένη φιλοσοφία σκιομαχεῖ μᾶλλον ἢ τὴν τῶν
10 ὄντων ἐπιστήμην ἔχει.

16. Ἄλλοι τοίνυν ἀπὸ τῆς παλαιᾶς φυλῆς Πυθαγόρας
καὶ οἱ τούτου συμφυλέται σεμνοὶ καὶ σιωπηλοὶ παραδιδόασιν
ἄλλα μοι δόγματα ὥσπερ μυστήρια, καὶ τοῦτο δὴ τὸ μέγα
καὶ ἀπόρρητον, τὸ Αὐτὸς ἔφα· Ἀρχὴ τῶν πάντων ἡ μονάς.
5 Ἐκ δὲ τῶν σχημάτων αὐτῆς καὶ ἐκ τῶν ἀριθμῶν τὰ
στοιχεῖα γίνεται. Καὶ τούτων ἑκάστου τὸν ἀριθμὸν καὶ τὸ
σχῆμα καὶ τὸ μέτρον οὕτω πως ἀποφαίνεται· τὸ μὲν πῦρ

14, 9 φέρεσθαι (*ante add. signum* * N) : ἄνω φέρεσθαι *coni. Worth Menzel Diels* εἰς πῦρ τρέπεσθαι *coni. Kerferd* || πῦρ *om.* P || 10 διήκειν : διήκει Ω (διοικεῖ X) || ἧς : ἡ V || μετέχοντας PN : μετέχοντος *cett.*

15, 2 Λιβύης : Λιβίης Ψ Ληβύης X || Κλειτόμαχος *coni. Diels et al.* : Κλιτόμαχος P Δ Κλητόμαχος Ω || 4 ἀποφαινόμενοι : ἀποφενόμενοι F || διαρρήδην : διαρήδην Ψ || 5 ἀεὶ *in parenthesi* N || φαντασίαν : φαντασία Ω || παρακεῖσθαι P *(coni. Seiler)* : ἀεὶ παρακεῖσθαι Δ Ω (παρακινεῖσθαι X Z *corr. in mg.*) || 6 τοσούτῳ χρόνῳ : τοσοῦτον χρόνον *coni. Worth* || ταλαιπωρήσας : ταλαιπορήσας LMTV FS || 8 μηδὲν : μηδὲ Ω || οἴχεται : ἤχεται Ω || 9 σκιομαχεῖ : σκηομαχεῖ Ψ || 10 ἔχει : ἔχειν Ω

16, 1 ἄλλοι : ἄλλη Ψ (ἀλη F) || Πυθαγόρας : Πυνθαγόρας F || 2 συμφυλέται : συμφηλέται F || σιωπηλοὶ : σιοπηλοὶ Ψ || 3 τὸ : τὰ *per errorem Migne* || 4 τὸ : *om. Otto transp. post* ἔφα *Menzel* || ἔφα P *(coni. Otto)* : ἔφη Δ Ω || 5 σχημάτων : σχοιμάτων Ψ || 5-6 ἀριθμῶν — ἑκάστου τὸν *om.* Q || 6 στοιχεῖα : στοιχία Ψ || 7 μέτρον : μέτρος Ω

les plus proches de la terre ; l'âme se répand à travers l'univers tout entier et, si nous avons une âme, c'est que nous avons une part de cette âme de l'univers.

15. Après tous ces philosophes, voici qu'une autre foule me submerge, venue de Libye : Carnéade et Clitomaque et tous leurs disciples qui foulent aux pieds les théories des autres et démontrent en termes précis que tout est incompréhensible et que l'imagination mensongère est toujours aux côtés de la vérité. Quelle est cette épreuve qui s'abat sur moi alors que je me suis donné tant de peine et si longtemps ? Comment évacuer de mon esprit de telles doctrines ? En effet, si rien n'est compréhensible, la vérité s'en va loin des hommes et la philosophie tant vantée se bat avec des ombres, bien loin de posséder la connaissance de ce qui est.

16. D'autres philosophes de l'ancienne école, Pythagore et ses compatriotes, solennels et silencieux, me transmettent d'autres enseignements comme autant de mystères, et en particulier cette grande doctrine ésotérique. Le Maître a dit : « Le principe de toutes choses est la Monade ; de ses formes et des nombres naissent les éléments. » Et il expose le nombre, la forme et la mesure de chacun de ces éléments à peu près ainsi : le feu est composé de vingt-

14, 9. Texte corrompu ; voir l'Appendice III, p. 131.

15, 2. Sur Carnéade et Clitomaque voir A. A. Long, *Hellenistic Philosophy* (London 1974), 94-106 ; S. Nonvel Pieri, *Carneade* (Padua 1978), B. Wismiewski, *Karneades Fragmente* (Wroclaw 1970), *PW, s.v.* « Karneades » X, 2, 1964-1985 (1919) et *s.v.* « Kleitomachos » XI, 1, 656-659 (1921). Les deux philosophes venaient d'Afrique mais pas nécessairement de Libye. 'Επιρρεῖ représente sans doute une réminiscence de Platon, *Phèdre* 229 d (v. Diels, *ad. loc.*), où Socrate proteste contre le déluge (ἐπιρρεῖ) de créatures mythiques.

16, 1. Sur Pythagore, voir *DK* I, 14, 96-105.

ὑπὸ τεσσάρων καὶ εἴκοσι τριγώνων ὀρθογωνίων συμπληροῦται τέσσαρσιν ἰσοπλεύροις περιεχόμενον. Ἕκαστον ἰσόπλευ-
10 ρον σύγκειται ἐκ τριγώνων ὀρθογωνίων ἕξ, ὅθεν δὴ καὶ πυραμίδι προσεικάζουσιν αὐτό. Ὁ δὲ ἀὴρ ὑπὸ τεσσαράκοντα ὀκτὼ τριγώνων συμπληροῦται περιεχόμενον ἰσοπλεύροις ὀκτώ. Εἰκάζεται δὲ ὀκταέδρῳ, ὃ περιέχεται ὑπὸ ὀκτὼ τριγώνων ἰσοπλεύρων, ὧν ἕκαστον εἰς ἓξ ὀρθογώνια
15 διαιρεῖται, ὥστε γίνεσθαι τεσσαράκοντα ὀκτὼ τὰ πάντα. Τὸ δὲ ὕδωρ ὑπὸ ἑκατὸν εἴκοσι <τριγώνων συμπληροῦται, ἴσοις καὶ ἰσοπλεύροις εἴκοσι> περιεχόμενον, εἰκάζεται δὲ εἰκοσαέδρῳ, ὃ δὴ συνέστηκεν ἐξ ἴσων καὶ ἰσοπλεύρων τριγώνων εἴκοσι· ἑξάκις δὲ εἴκοσι ἑκατὸν εἴκοσι. Ὁ δὲ
20 αἰθὴρ συμπληροῦται δώδεκα πενταγώνοις ἰσοπλεύροις καὶ ὅμοιός ἐστι δωδεκαέδρῳ. Ἡ <δὲ> γῆ συμπληροῦται ἐκ τριγώνων μὲν ὀκτὼ καὶ τεσσαράκοντα περιέχεται δὲ τετραγώνοις ἰσοπλεύροις ἕξ. Ἔστι δὲ ὁμοία κύβῳ. Ὁ γὰρ κύβος ὑπὸ ἓξ τετραγώνων περιέχεται, ὧν ἕκαστον εἰς
25 τέσσαρα τρίγωνα, ..., ὥστε γίνεσθαι τὰ πάντα εἴκοσι καὶ τέσσαρα.

16, 8 συμπληροῦται : συμπληροῦνται CD || 9 τέσσαρσιν : τέσαρσι L τέτταρσιν Θ τέταρσι Ψ || ἕκαστον : *add.* δὲ *Seiler* || 10 σύγκειται *codd.* (*incertum* C) || τριγώνων : τριγόνων Ψ || ὀρθογωνίων : *add. iterum* συμπληροῦνται — ἰσόπλευρον F *om. Migne* || 11 πυραμίδι : τὸ πυραμίδι Ω || αὐτό : αὐτῷ RXZ Ψ || ὁ *om.* CD || 12 τριγωνων : τριγόνων ES || 12-14 συμπληροῦται — τριγώνων : *om.* CD (*in mg. recentiore manu, fortasse Worth,* «συμπληροῦται περιεχόμενον — τριγώνων *ut in editis*» C) || 12 περιεχόμενον : περιεχόμενος *coni. Seiler* || ἰσοπλεύροις : ἰσόπλευρος B || 14 τριγώνων : τριγόνων ES || ὀρθογώνια : ὀρθογωνίαν Q || 16-17 τριγώνων — εἴκοσι *add. Worth Otto* || 19 τριγώνων : τριγόνων Ψ || ἑξάκις δὲ εἴκοσι ἑκατὸν εἴκοσι P : σ η κ ρ η *cett.* καὶ ἑκατὸν εἴκοσι *coni. Worth Diels* || 20 πενταγώνοις *Diels (per errorem citans)* : πενταγωνίοις *codd.* || ἰσοπλεύροις : ἰσοπλεύρως E || 21 ἐστι : *add. iterum* δώδεκα πενταγωνίοις ἰσοπλεύροις καὶ ὁμοίως ἐστι Q || δωδεκαέδρῳ : *add. iterum* ὃ δὴ συνέστηκεν — τριγώνων F || δὲ *add. Menzel* || 22 τριγώνων : τριγόνων Ψ || ὀκτὼ καὶ τεσσαράκοντα P : ν′ καὶ μ′ Δ Ω || δὲ : δὲ καὶ Z || 23 τετραγώνοις P : καὶ τετραγώνοις Δ καὶ τετραγωνίοις Ω || ἕξ : S QT || 24 τετραγώνων : τετραγόνῳ Ψ || ἑκα-

quatre triangles rectangles limités par quatre triangles équilatéraux. Chaque triangle équilatéral est composé de six triangles rectangles, d'où ils le comparent à une pyramide. L'air est composé de quarante-huit triangles limités par huit triangles équilatéraux, il est comparé à un octaèdre limité par huit triangles équilatéraux dont chacun est partagé en six triangles rectangles en sorte qu'il y en a quarante-huit en tout. L'eau est composée de cent vingt triangles égaux et équilatéraux, elle ressemble à un icosaèdre, qui est fait de vingt triangles égaux et équilatéraux ; six fois vingt égalent cent vingt. L'air est composé de douze pentagones équilatéraux et ressemble à un dodécaèdre. La terre est composée de quarante-huit triangles, elle est limitée par six carrés équilatéraux. Elle est semblable à un cube. Le cube, en effet, est composé de six carrés dont chacun est divisé en quatre triangles, de sorte qu'ils sont vingt-quatre en tout.

στον : ἕκαστος Ω || 24-25 εἰς τέσσαρα : εἰς δ' Δ εἰς δὲ τέσσαρα CDERS *add. in mg.* δὲ F εἰς ὀκτὼ *coni. Worth Diels* || 25 τρίγωνα : τριγώνων F *(corr. sup. l.) add.* διαιρεῖται *Worth, fortasse recte* || 25-26 εἴκοσι καὶ τέσσαρα P : κ' δ' Δ Ω ὀκτὼ καὶ τεσσαράκοντα *coni. Worth Diels*

16, 16-17. Nous avons ajouté six mots grecs à cet endroit (à la suite de Worth, Otto et Diels) pour rendre le texte intelligible. Voir l'apparat critique. Ils ont sans doute été omis très tôt dans la tradition manuscrite par homoiotéleuton avec εἴκοσι.

16, 19. Nous avons rétabli la somme écrite en toutes lettres à cette ligne d'après le texte du manuscrit le plus ancien P qui la donne sous cette forme. La tradition manuscrite ultérieure s'est grandement égarée car les scribes ne savaient pas interpréter les calculs utilisant la notation en lettres en guise de chiffres.

16, 21-26. Voir à ce sujet l'Appendice IV, p. 133. En 16, 25 nous avons supposé une lacune dans les manuscrits et laissé un passage sans correction plutôt que de nous risquer à adopter la conjecture de Worth, διαιρεῖται.

17. Τὸν μὲν δὴ κόσμον ὁ Πυθαγόρας μετρεῖ. Ἐγὼ δὲ πάλιν ἔνθεος γενόμενος τῆς μὲν οἰκίας καὶ πατρίδος καὶ τῆς γυναικὸς καὶ τῶν παιδίων καταφρονῶ καὶ τούτων οὐκέτι μοι μέλει. Εἰς δὲ τὸν αἰθέρα αὐτὸν αὐτὸς ἀνέρχομαι καὶ
5 τὸν πῆχυν παρὰ Πυθαγόρου λαβὼν μετρεῖν ἄρχομαι τὸ πῦρ. Οὐ γὰρ ἀπόχρη μετρῶν ὁ Ζεύς, † ἀλλὰ μὴ καὶ τὸ μέγα ζῷον τὸ μέγα σῶμα ἡ μεγάλη ψυχὴ † αὐτὸς εἰς τὸν οὐρανὸν ἀνέλθοιμι καὶ μετρήσαιμι τὸν αἰθέρα, οἴχεται ἡ τοῦ Διὸς ἀρχή. Ἐπειδὰν δὲ μετρήσω καὶ ὁ Ζεὺς παρ' ἐμοῦ μάθῃ,
10 πόσας γωνίας ἔχει τὸ πῦρ, πάλιν ἐξ οὐρανοῦ καταβαίνω καὶ φαγὼν ἐλαίας καὶ σῦκα καὶ λάχανα τὴν ταχίστην ἐπὶ τὸ ὕδωρ στέλλομαι καὶ κατὰ πῆχυν καὶ δάκτυλον καὶ ἡμιδάκτυλον μετρῶ τὴν ὑγρὰν οὐσίαν καὶ τὸ βάθος αὐτῆς ἀναμετρῶ, ἵνα καὶ τὸν Ποσειδῶνα διδάξω, πόσης ἄρχει
15 θαλάσσης. Τὴν μὲν γῆν ἅπασαν ἡμέρᾳ μιᾷ περιέρχομαι συλλέγων αὐτῆς τὸν ἀριθμὸν καὶ τὸ μέτρον καὶ τὰ σχήματα. Πέπεισμαι γὰρ ὅτι τοῦ κόσμου παντὸς οὐδὲ σπιθαμὴν παρήσω τοιοῦτος καὶ τηλικοῦτος ὤν. Οἶδα δὲ ἐγὼ καὶ τῶν ἀστέρων τὸν ἀριθμὸν καὶ τῶν ἰχθύων καὶ τῶν θηρίων καὶ
20 ζυγῷ τὸν κόσμον ἱστὰς εὐκόλως τὸν σταθμὸν αὐτοῦ δύναμαι μαθεῖν.

17, 1 δὴ : οὖν Ω || Πυθαγώρας : Πιθαγόρας Ψ || 2 ἔνθεος : ἐνθέως *Diels per errorem* || οἰκίας : οἰκείας O R *(corr. in mg.)* Ψ || 3 τῆς : τῶν V || τούτων : τοῦτον Ψ || 4 μέλει POCDX : μέλλει *cett.* Ψ || 6 ἀλλὰ : ἀλλ' εἰ *coni. Seiler Migne (textus corruptus uidetur)* || 8 ἀνέλθοιμι : ἀνέλθη μοι Ω || ἡ *om.* Ω || 9 δὲ : *add.* πάλιν Ω || 10 οὐρανοῦ : οὐρανῷ Ψ || καταβαίνω : καταβαίνων Ω || 12 στέλλομαι : στελλόμην Ω || καὶ[1] : *add.* καὶ Z || 14 τὸν *codd. (pace Otto)* || Ποσειδῶνα : Ποσιδῶνα Ψ || 15 μὲν : δὲ *coni. Diels et al.* || περιέρχομαι P *(coni. Otto)* : παρέρχομαι Δ Ω || 16 τὸ : τὸν Ψ || 17 παντὸς P *(coni. Maran Migne)* : πάντα Δ Ω || σπιθαμὴν : σπιθαμὴ Ω || 18 παρήσω : παροίσω Ω || 20 ζυγῷ : ζυγῶν R || αὐτοῦ *om.* Ω

17, 5. Πῆχυς était une mesure d'environ 470 mm. Les Pythagoriciens n'insistaient pas particulièrement sur cette unité, mais tenaient beaucoup à donner une base mathématique à leur astronomie et prétendaient mesurer l'univers dans son ensemble. — Ici πῆχυς ne signifie guère qu'un instrument de mesure. Hermias entreprend de s'en

17. Pythagore mesure donc l'univers ! Et moi, une fois encore enthousiasmé, je ne fais aucun cas de ma maison, de ma patrie, de ma femme, de mes enfants, ils ne m'intéressent plus. Je monte, moi, jusque dans l'éther, je prends sa règle à Pythagore et je commence à mesurer le feu, car il ne me suffit pas que Zeus prenne des mesures *** mais pas même le grand être vivant, le grand corps, la grande âme ***. Je peux moi-même monter au ciel et mesurer l'éther. C'en est fini de la souveraineté de Zeus. Quand j'aurai pris les mesures et que Zeus aura appris de moi combien d'angles a le feu, je descends du ciel, je mange des olives, des figues et des légumes, je prends le chemin le plus court vers l'eau et je jauge l'élément humide par coudée, pouce et demi-pouce, et je calcule sa profondeur, afin d'apprendre à Poséidon quelles sont les dimensions de la mer sur laquelle il règne. Je fais le tour complet de la terre en une journée, en rassemblant proportions, dimensions et formes. Car je suis convaincu qu'un homme de ma qualité et de mon importance ne laissera rien échapper de l'univers entier, pas même la largeur d'une main. Moi, je sais le nombre des étoiles, des poissons et des bêtes sauvages, je peux facilement placer l'univers sur une balance et en connaître le poids.

servir pour mesurer le monde. Il commence par le feu parce que les Pythagoriciens affirmaient l'existence d'un feu central (différent du soleil) au milieu de l'univers.

17, 6-7. Le texte, pensons-nous, a dû être corrompu ici très tôt et l'on ne peut plus le corriger. Le ἀλλὰ μὴ καὶ des manuscrits masque le fait. Les termes μέγα ζῷον, μέγα σῶμα et ἡ μεγάλη ψυχή se rapporteraient plus naturellement au monde tel que le concevait par exemple la philosophie stoïcienne. Peut-être l'auteur se réfère-t-il à ἄνθρωπος par opposition à τὰ ἄλλα ζῷα (cf. τὰ μείζω ζῷα dans Théophraste, *Sens*. 29 (= Diels, *Dox*. 507, 26).

17, 11. Hermias se prépare à son entreprise en mangeant des fruits et des légumes : les Pythagoriciens étaient bien connus pour leur régime végétarien.

17, 17. La mention d'une largeur de main rappelle sans doute *Isaïe* 40, 12.

18. Ἀμφὶ μὲν δὴ ταῦτα μέχρι νῦν ἐσπούδακεν ἡ ψυχή μου τῶν ὅλων ἄρχειν. Προσκύψας δέ μοί φησιν Ἐπίκουρος· Σὺ μὲν δὴ κόσμον ἕνα μεμέτρηκας, ὦ φιλότης, εἰσὶ δὲ κόσμοι πολλοὶ καὶ ἄπειροι. Πάλιν οὖν ἀναγκάζομαι εἰπεῖν
5 οὐρανοὺς πολλοὺς αἰθέρας ἄλλους, καὶ τούτους πολλούς. Ἄγε δὴ μηκέτι μέλλε· ἐπισιτισάμενος ὀλίγων ἡμερῶν εἰς τοὺς Ἐπικουρείους κόσμους ἀποδήμησον. Τὰ μὲν οὖν πέρατα Τηθὺν καὶ Ὠκεανὸν εὐκόλως ὑπερίπταμαι. Εἰσελθὼν δὲ εἰς κόσμον καινὸν καὶ ὥσπερ εἰς ἄλλην πόλιν μετρῶ
10 τὰ πάντα ὀλίγαις ἡμέραις. Κἀκεῖθεν ὑπερβαίνω πάλιν εἰς τρίτον κόσμον, εἶτα εἰς τέταρτον καὶ πέμπτον καὶ δέκατον καὶ ἑκατοστὸν καὶ χιλιοστόν — καὶ μέχρι ποῦ; Ἤδη γάρ μοι σκότος ἀγνοίας ἅπαντα καὶ ἀπάτη μέλαινα καὶ ἄπειρος πλάνη καὶ ἀτελὴς φαντασία καὶ ἀκατάληπτος ἄνοια. Πλὴν εἰ
15 μέλλω κατὰ τὰς ἀτόμους αὐτὰς ἀριθμεῖν, ἐξ ὧν οἱ τοσοῦτοι κόσμοι γεγόνασιν, ἵνα μηδὲν ἀνεξέταστον παραλείπω μάλιστα τῶν οὕτως ἀναγκαίων καὶ ὠφελίμων, ἐξ ὧν οἶκος καὶ πόλις εὐδαιμονεῖ;

18, 1 ἀμφὶ μὲν δὴ : ἀμφοῖν δέ μοι Θ ἀμφὶ δέ μοι Ψ (ἀμφοὶ F) || μεχρὶ νῦν *om.* Ω (*cum signo* ↑ C) || 2 ὅλων : ὅλλων F || προσκύψας : προσκύψαι Ω προκύψας *coni. Seiler Diels* || 3 μὲν δὴ : δέ μοι Ω || δὲ : καὶ R δὲ καὶ CD || 4 ἀναγκάζομαι : ἀναγκάζομεν Ψ || εἰπεῖν : μετρεῖν *coni. Menzel Diels* || 5 πολλοὺς[1] : ἄλλους *coni. Diels* || 6 μέλλε P : μέλλ' Δ Θ μέλλει Ψ μέλλων *Diels codicibus compluribus per errorem attribuens* || ἐπισιτισάμενος : ἐπισιτισαίμενος O ἐπισιτησάμενος Θ ἐπισηταισάμενος F ἐπισητησάμενος ES || 7 Ἐπικουρείους N : Ἐπικουρίους *cett.* || ἀποδήμησον : ἀποδημήσω *coni. Diels* || 8-9 εἰσελθὼν : εἰσελθὸν Q || 9-11 καὶ ὥσπερ — κόσμον *om.* Ω (*cum signo* ↑ *in mg.* C) || 9 καινὸν καὶ : *om.* καὶ *Diels* || 11 τρίτον *om.* Q *Migne* || 13 ἅπαντα : ἀπαντᾷ *coni. Wolf Diels* || 14-15 ἄνοια — ἀτόμους *om.* Q || 14 ἄνοια : ἄγνοια N || εἰ : τί *coni. Diels* || 15 μέλλω κατὰ : μέλλων κατὰ N *Migne* μέλω κατὰ F T μέλλω καὶ *coni. Seiler Diels* || αὐτὰς : αὐτοὺς CDXZ || τοσοῦτοι : τοσοῦτο D || 16 παραλείπω : παραλείπει Ω || μάλιστα : μάλλιστα F || 18 εὐδαιμονεῖ P *(coni. Seiler)* : εὐδαιμονᾷ Δ Ω

18. En s'attachant à tous ces travaux, mon âme s'est efforcée jusqu'à maintenant de dominer l'univers. Mais Épicure se penche vers moi et me dit : «Tu n'as mesuré qu'un monde, cher ami, il y en a d'autres nombreux, et à l'infini ! » Me voici donc contraint de mesurer beaucoup de cieux, d'autres éthers, et ils sont nombreux. Allons, ne tarde plus. Prends des provisions pour quelques jours, et pars vers les mondes d'Épicure. Alors je vole et franchis les limites de ce monde, Thétys et Océan. Pénétrant dans un monde nouveau et pour ainsi dire dans une autre cité, je mesure tout en quelques jours. De là je m'élève vers un troisième monde, puis un quatrième, puis un cinquième, puis un dixième, et un vingtième et un millième et jusqu'où ? Car maintenant, tout est pour moi ténèbres d'ignorance, noire illusion, erreur sans fin, vaine imagination, incompréhensible folie. A moins que je ne doive dénombrer un par un ces atomes dont tous ces mondes sont issus, pour ne rien laisser sans examen, et en particulier aucune de ces choses si nécessaires et si utiles dont dépend la prospérité de ma maison et de ma patrie.

18, 6. On ne peut guère reprocher à Diels et aux éditeurs précédents d'avoir corrigé le texte. La seule leçon des manuscrits entre leurs mains était μελλ'. Diels se trompe en attribuant la leçon μέλλων à certains d'entre eux : aucun en fait ne présente cette forme. Mais nous disposons maintenant du manuscrit P et son μέλλε offre un sens satisfaisant. On peut y voir le texte original.

18, 14. Nous acceptons ici la leçon de tous les manuscrits, εἰ, et rejetons la conjecture trop facile de Diels, τί. Nous laissons la phrase se terminer en aposiopèse. Voir note sur 4, 7 plus haut. Hermias laisse le lecteur imaginer les conséquences de cette folie.

18, 18. La leçon de P, εὐδαιμονεῖ, que Seiler avait conjecturée sans avoir accès à P, est évidemment correcte. Voir l'apparat critique. La leçon des autres manuscrits, εὐδαιμονᾷ, moins satisfaisante, n'est cependant pas inadmissible. Voir *Africani Narratio Spuria, PG* 10, col. 106 (εὐδαιμονῶσα, dans les deux manuscrits).

19. Ταῦτα μὲν τοίνυν διεξῆλθον βουλόμενος δεῖξαι τὴν ἐν τοῖς δόγμασιν οὖσαν αὐτῶν ἐναντιότητα καὶ ὡς εἰς ἄπειρον αὐτοῖς καὶ ἀόριστον πρόεισιν ἡ ζήτησις τῶν πραγμάτων καὶ τὸ τέλος αὐτῶν ἀτέκμαρτον καὶ ἄχρηστον,
5 ἔργῳ μηδενὶ προδήλῳ καὶ λόγῳ σαφεῖ βεβαιούμενον.

19, 3 ἄπειρον : ἄπειρα D *(corr. sup. l.)* || ἀόριστον : ἀόρηστον F || 4 ἀτέκμαρτον : ἀτέκμαιτον Ψ || 5 ἔργῳ : ἔργόν Ω || βεβαιούμενον : βεβαιούμενος Ω

19. J'ai donc exploré les théories de ces philosophes pour en montrer les contradictions, pour montrer combien leur recherche de la réalité est sans limite et sans fin, combien leur but est imprécis et vain, puisqu'il ne s'appuie sur aucun fait évident, sur aucun argument clair.

APPENDICES

Appendice I

L'apostasie des anges, source de la philosophie

Dans le chapitre 1, l. 4 et 5 Hermias soutient que la philosophie a trouvé son origine dans l'apostasie des anges (τὴν ἀρχὴν εἰληφέναι ἀπὸ τῆς τῶν ἀγγέλων ἀποστασίας). L'étude du contexte de cette thèse et de ses formes parallèles montrera qu'elle fournit une indication importante sur la date de l'*Irrisio*[1].

A l'arrière-plan de cette théorie figure l'antique tradition juive de la chute des Veilleurs — interprétation de *Gen*. 6, 1-4 qui apparaît pour la première fois dans le «Livre des Veilleurs» (*I Enoch* 1-36). Dans ce récit les «fils de Dieu» de *Gen*. 6 seraient des anges (de la catégorie des Veilleurs) qui, au temps de Jared, père d'Énoch, descendirent du ciel et prirent des femmes de la terre dont naquirent les Géants (*Gen*. 6, 4). Les anges déchus et les Géants portent la responsabilité de la corruption du monde avant le Déluge. Dieu condamna les anges à être enfermés en enfer et les Géants à s'entre-détruire dans les combats, mais après le Déluge les esprits des Géants morts sont restés sur la terre, y causant le mal jusqu'au jour du jugement.

L'aspect de l'histoire qui nous concerne ici consiste dans l'*enseignement* des Veilleurs. Ils avaient apporté du ciel avec eux la connaissance de «secrets» jusqu'alors inconnus ici-bas

1. Les lignes qui suivent représentent un résumé de l'exposé beaucoup plus détaillé de R. Bauckham, «The Fall of the Angels as the Source of Philosophy in Hermias and Clement of Alexandria», dans *VigChr* 39 (1985), p. 313-330.

(*I Énoch* 8, 3 ; 9, 6 ; 10, 7 ; 16, 3) et les avaient révélés à leurs femmes et à leurs enfants. Cet enseignement fit croître la perversité humaine dans la période précédant le Déluge. Il comportait trois éléments (décrits en *I Énoch* 7, 1 ; 8, 1-3) : *(a)* les arts magiques ; *(b)* les connaissances techniques sur l'emploi des métaux et des minéraux, pour fabriquer les armes de guerre et les ornements de la parure féminine (bijoux, fards, bracelets et teintures) ; *(c)* la connaissance de l'astrologie, de la météorologie et de la cosmographie, sans doute à des fins divinatoires. En outre, *I Énoch* 19, 1 indique de manière assez obscure que les esprits des anges sont responsables d'avoir inculqué la religion païenne.

On retrouve cette tradition de l'enseignement des anges en d'autres œuvres de la littérature juive intertestamentaire : le *Livre des Jubilés* (8, 3 ; cf. 4, 15), les *Paraboles d'Énoch* (*I Énoch* 64, 2 ; 65, 6-11 ; 69, 6-12) et l'*Apocalypse d'Abraham* (14, 4), mais c'est le texte de *I Énoch* 7, 1 ; 8, 1-3 ; 19, 1, qu'ont connu les premiers auteurs chrétiens et c'est lui qui a influé sur leurs idées concernant l'enseignement des anges déchus.

La tradition de l'enseignement des Veilleurs représentait une version juive des mythes tournant autour des héros culturels, très répandus dans le monde antique. Y figuraient les héros des premiers âges qui ont introduit dans le monde les techniques de la civilisation, d'ordinaire à la suite d'une révélation divine. Ce genre de mythe revêtait des formes positives où l'on attribuait au héros culturel les bienfaits de la civilisation, mais aussi des formes négatives où les maux de la civilisation provenaient de l'introduction de connaissances pernicieuses. Le mythe juif de la chute des Veilleurs et de leur enseignement constitue une forme très négative et polémique du mythe du héros culturel, destinée à faire remonter l'ensemble de la culture *païenne* à une origine mauvaise. Cette dernière serait le fait de puissances célestes rebelles incapables de révéler autre chose que des « mystères sans valeur » (*I Énoch* 16, 3). Les milieux qui élaborèrent cette tradition connaissaient aussi un mythe positif du héros culturel où Énoch recevait d'en haut la vraie sagesse. Ces groupes pouvaient donc opposer nettement la culture païenne venue des anges déchus à la sagesse qu'ils cultivaient eux-mêmes, sagesse juive procédant d'Énoch et de ses successeurs. Le mythe de l'enseignement de Veilleurs s'accordait donc fort bien avec les vues des milieux juifs soucieux de protéger la pureté de leur culture contre l'influence de l'hellénisme.

Les auteurs juifs plus ouverts à la culture hellénistique créèrent un mythe différent pour expliquer les origines de la civilisation païenne. Des écrivains tels que le Pseudo-Eupolème, Eupolème, Aristobule, Artapan, Josèphe et Philon voyaient dans les héros culturels juifs Énoch, Abraham, Moïse et les prophètes les initiateurs de la culture juive, mais aussi de la culture païenne, même si la sagesse des patriarches avait plus ou moins subi une distorsion entre les mains des gentils. Cette théorie des origines de la culture païenne contrastait avec l'histoire de la chute des Veilleurs et reconnaissait les aspects valables et bénéfiques de la culture païenne.

La littérature juive légua donc aux écrivains chrétiens deux vues opposées sur l'origine de la culture païenne. Ceux-ci les utilisèrent toutes deux selon leur attitude plus ou moins favorable envers elle. Certains, tels Justin et Tatien, les employaient l'une et l'autre : ils distinguèrent certains aspects de la culture païenne qu'il fallait attribuer aux démons et d'autres qui, même déformés dans le contexte païen devaient finalement avoir une origine divine. Il faut aussi remarquer : certains des écrivains juifs hellénistiques, qui ont adopté le mythe positif du héros culturel à propos de la culture païenne, l'ont étendu à la philosophie grecque porteuse, pensaient-ils, d'une vérité venue en définitive de sources bibliques ; mais cette philosophie ne figure nullement dans les sources juives sur l'enseignement des Veilleurs : les initiateurs de cette théorie n'étaient sans doute guère au courant de la philosophie grecque ou lui prêtaient fort peu d'intérêt.

L'histoire de la chute des Veilleurs connut un grand succès dans le christianisme primitif, surtout aux IIe et IIIe siècles par suite du crédit accordé au *Livre d'Énoch* et à sa popularité dans les milieux chrétiens du temps. Au IVe siècle par contre les auteurs chrétiens commencèrent à formuler des doutes sur cette union des anges et des femmes et sur leur postérité, et, à la fin du IVe siècle et au début du Ve, sous l'influence d'auteurs tels que Chrysostome, Cyrille d'Alexandrie, Jérôme et Augustin, on abandonna complètement l'exégèse traditionnelle de *Gen.* 6, 1-4, source de l'histoire des Veilleurs. On la remplaça par une explication, déjà adoptée par le judaïsme : les «fils de Dieu» n'y sont plus des anges mais des hommes justes. Ce changement dans l'exégèse de *Gen.* 6, 1-4 coïncida avec un discrédit général concernant l'autorité du *Livre d'Énoch.* A partir du ve siècle les allusions à la chute des Veilleurs deviennent très rares dans la littérature chrétienne.

Les références à l'*enseignement* des anges déchus abondent par contre dans les textes des IIe et IIIe siècles : Justin, *IIe Apol.*, 5 (cf. *Ier Apol.* 5, 2) ; Athénagore, *Apol.* 26-27 ; Tatien, *Oratio* 8-9 ; Irénée, *Adv. haer.* I, 15, 6 ; *Démonstration* 18 ; Clément d'Alexandrie, *Eclog. proph.* 53, 4 ; *Str.* I, 74-87 ; V, 10, 1-2 (cf. aussi VI, 66, 1 ; 159, 1) ; Tertullien, *Cult. fem.* I, 2 ; II, 10 ; *Idol.* 3 ; 4 ; 9 ; *Apol.* 22 ; Cyprien, *De hab. virg.* 14 ; Commodien, *Instructiones* 3 ; Minucius Felix, *Octavius* 26 ; Julius Africanus, *Chronogr.* (*PG* 10, 66) ; *Apocryphe de Jean* (*CG* II, 1) 29 : 30-34 ; *Sur l'Origine du Monde* (*CG* II, 5) 123 : 8-12 ; *Pistis Sophia* (Schmidt, p. 16, ch. 18 ; p. 17, ch. 20).

Certaines références apparaissent dans les œuvres du Pseudo-Clément (*Rec.* 4, 26 ; *Hom.* 8, 14) qui atteignirent leur forme finale au IVe siècle mais contiennent des éléments plus anciens. Au IVe siècle encore on relève aussi des allusions chez Lactance (*Inst.* 2, 15-18 ; *Epitome* 27), et chez Épiphane (*Haer.* 1, 3, mais ce passage renvoie peut-être à une version démythologisée comme chez Cassien). Au début du Ve siècle, Jean Cassien (*Collatio* 8, 20-21) adopta la nouvelle exégèse de *Gen* 6, 1-4, mais garda une forme de la tradition sur l'enseignement des Veilleurs, attribuant celui-ci aux descendants de Seth sous l'influence des démons. Une interprétation similaire se retrouve dans l'ouvrage éthiopien, *Le livre d'Adam et Ève* (2, 20) qui remonte peut-être en partie au Ve siècle. Dans la littérature chrétienne plus tardive, seuls les chroniqueurs, reprenant des éléments anciens, parlent de l'enseignement des anges déchus (Sulpice Sévère, Georges Syncellus, Cedrenus, Michel le Syrien).

Ainsi donc cette tradition, florissante dans le christianisme des IIe et IIIe siècles, déjà déclinante au IVe, disparut presque complètement à partir du Ve avec la nouvelle exégèse de *Gen.* 6, 1-4, et le discrédit du *Livre d'Énoch* dans les milieux chrétiens. En ce qui regarde le contenu de l'enseignement des anges, les auteurs chrétiens suivent de près le texte de *I Énoch* 7-8 et souvent manifestent leur dépendance. Ils mentionnent fréquemment les arts magiques, l'astrologie et la parure féminine, mais rarement (chose surprenante) les armes de guerre. Sur un seul point ils développent le texte de *I Énoch* 7-8 : reprenant la suggestion de *I Énoch* 19, 1, beaucoup d'entre eux attribuent les pratiques religieuses païennes de toute espèce aux anges déchus et à leurs rejetons, les démons. Pour beaucoup d'auteurs chrétiens, l'histoire des Veilleurs, conçue comme un mythe négatif du héros culturel, trouvait là son intérêt essentiel : elle expliquait l'origine de la religion païenne. Plusieurs (Clément, Commodien, Cassien) parlent en termes généraux des «arts» (τέχναι, *artes*) enseignés par les anges. Le type des connaissances dues aux anges leur semblait, comme dans le «Livre des Veilleurs», d'ordre technique plutôt qu'une sagesse spéculative. Seuls font exception sur ce point les passages des *Stromates* de Clément d'Alexandrie que nous discuterons ci-dessous.

En attribuant l'origine de la *philosophie grecque* à l'enseignement des anges déchus Hermias semble donc tenir une position très singulière. Sans précédent dans les sources juives de la tradition, ce thème n'a pas non plus connu de développement chez les auteurs chrétiens. Beaucoup des auteurs cités plus haut, à vrai dire, estimaient la philosophie grecque (à la différence de la religion) et n'auraient pas voulu la faire remonter aux anges déchus. Pour eux, les versions positives des héros légendaires appliquées par les écrivains juifs hellénistiques à la culture païenne paraissaient mieux rendre compte de l'origine de la philosophie. Notons d'ailleurs deux faits significatifs : Lactance, qui a utilisé la tradition des anges déchus dans *Inst.* 2, où il réfute la religion païenne, procède dans le livre 3 à la réfutation de la philosophie sans mentionner les anges. De même Tatien, le plus proche peut-être à d'autres égards d'Hermias dans son attitude envers la philosophie, n'en attribue pas l'origine aux anges mais déclare que les Grecs ont emprunté la philosophie à Moïse tout en la déformant complètement (*Oratio* 40). Ainsi donc, même les auteurs désireux, comme Hermias, de discréditer la philosophie semblaient ignorer la théorie qui en imputait l'origine aux anges déchus. En gauchissant la tradition de cette manière Hermias s'écartait vraiment des idées courantes.

Les seuls textes parallèles à sa position apparaissent chez Clément d'Alexandrie. Dans les *Stromates*, ce dernier explique de plusieurs façons l'origine de la philosophie grecque, mais toujours de façon à justifier la large part de vérité qu'elle contient. Il recourt à la thèse juive hellénistique selon laquelle les philosophes ont «volé» leur sagesse à Moïse et aux prophètes, mais mentionne aussi brièvement que les anges rebelles ont dérobé au ciel la philosophie et l'ont enseignée à l'humanité. A première vue, on s'étonne de voir Clément appliquer à la philosophie ce type *négatif* du mythe du héros légendaire qui chez d'autres écrivains visait à déconsidérer la culture païenne. C'est que Clément polémique manifestement avec des adversaires chrétiens qui utilisaient bel et bien ce thème à cette fin (I, 81, 4; cf. I, 80, 5; VI, 66, 1; 159, 1). Contre eux Clément soutient que la sagesse dérobée au ciel par les anges révoltés était une sagesse véritable et authentique; Dieu dans sa providence leur avait permis de la voler pour le bien de l'humanité (I, 83, 2). Ainsi Clément établit un parallèle entre le vol de la philosophie par les anges et celui de la vérité par les philosophes aux dépens de Moïse et des prophètes. Il rappelle fort à propos la version grecque du mythe de Prométhée dérobant le feu (I, 87, 1). Enfin, s'il subsistait quelque doute sur le fait qu'il pensait bien à la chute des Veilleurs, son unique référence ultérieure à ce sujet (V, 10, 1-2) suffirait à le dissiper.

On peut donc tirer de là certaines conclusions sur la date de l'*Irrisio*. La théorie générale de l'enseignement des anges déchus ayant été très populaire chez les chrétiens des IIe et IIIe siècles, pour décliner fort vite ensuite, l'*Irrisio* date très vraisemblablement de cette période. Probabilité d'autant plus grande, si l'on remarque que l'attribution aux Veilleurs de l'origine de la philosophie grecque resta beaucoup plus rare que celle d'autres aspects de la culture païenne. Les seules références, en dehors d'Hermias, figurent dans l'œuvre de Clément d'Alexandrie et ses allusions témoignent qu'à son époque cette idée était le fait de certains chrétiens hostiles à la philosophie grecque. Il est donc hautement probable qu'Hermias a été un prédécesseur ou un contemporain de Clément. Peut-être fut-il l'un de ces adversaires de la philosophie grecque contre lesquels Clément en défendait la valeur.

Appendice II

Hermias 7, 3s.

Nos manuscrits présentent tous la leçon ὕδωρ καὶ ἀήρ en 7, 3-4. Diels affirme à tort que V remplace γῆ par ἀήρ. Tous aussi, sans le moindre indice suggérant une glose, donnent les mots mis entre parenthèses par Diels, ἀραιός ... ἐξαλλάσσεται, avec cependant des variantes dans l'orthographe de πυκνωθῇ et de ἐξαλλάσσεται (7, 5-6).

On peut aisément adopter la correction de Diels, γῆ à la place de ἀήρ, et ainsi trouver dans ce paragraphe une référence aux quatre éléments. L'aporie ἀραιός disparaît si on lit — toujours avec Diels — ἀραιωθεὶς δὲ καὶ πυκνωθείς. Avec ou sans la correction de Wolf (φύσιν au lieu de φησίν), nous aurions là un thème courant de la tradition doxographique (cf. par exemple Hippolyte, *Ref.* 1, 7 [*DK* 13 A 7] πυκνούμενον γὰρ καὶ ἀραιούμενον διάφορον φαίνεσθαι «ce qui est compact et ce qui est poreux apparaît en effet différent», ou Simplicius, *Phys.* 24.26 [*DK* 13 A 5] διαφέρειν δὲ μανότητι καὶ πυκνότητι κατὰ τὰς οὐσίας «différer par l'inconsistance ou la densité selon les substances»). Mais cela rendrait le paragraphe encore plus répétitif et l'on aurait donc lieu de supprimer les mots ainsi corrigés en y voyant un commentaire marginal.

Pour sauvegarder le texte des manuscrits on pourrait avec profit examiner plus en détail la doxographie d'Anaximène. On connaît deux principales descriptions des mutations de ἀήρ. Selon l'une, on passe d'abord de ἀήρ à γῆ, puis apparaissent d'autres types de matières (*Stromates* 3 = *DK* 13 A 6). Mais la description la plus commune présente d'abord un changement en un élément plus élevé et plus raréfié, πῦρ, puis une condensation descendante plus longue où ἀήρ se transforme tour à tour en ἄνεμος, puis en νέφος, puis en ὕδωρ, puis en γῆ et enfin en λίθοι (voir les passages de Simplicius et d'Hippolyte cités plus haut dans cette note).

On pourrait cependant, mais peut-être avec une moindre

probabilité, s'en tenir au texte des manuscrits et voir chez Hermias l'intention de ridiculiser cette tradition, en particulier cette prolifération apparente d'éléments souvent mal distingués dans la pensée et la langue grecques : ἀήρ, ἄνεμος, νέφος et peut-être αἰθήρ. Le mot ἀήρ en 7, 3 remplacerait donc νέφος ou ἄνεμος et ferait ressortir l'invraisemblance de la théorie tandis que l'expression ἀήρ ἀραιός, à deux lignes de là, servirait à distinguer ἀήρ sous sa forme cosmique (quand il est, selon la formule d'Hippolyte, ὄψει ἄδηλον) des manifestations subtilement différentes qui avaient demandé, juste auparavant, l'emploi du terme général ἀήρ.

APPENDICE III

Hermias 14, 9

En principe le terme τὰ περίγεια désigne les régions les plus voisines de la terre, qu'elles entourent, à l'encontre des τὰ αἰθέρια, plus lointaines. De là vient en astronomie l'opposition entre le périgée et l'apogée de l'orbite d'une planète : le périgée définissant le point où cette planète s'approche le plus de la terre.

Selon la doctrine fondamentale des Stoïciens, formulée par Zénon, le monde apparaît lorsque le feu agit sur l'air qui se change en eau. Une partie de cette eau produit la terre, une autre demeure de l'eau, une troisième, par évaporation, devient air, qui partiellement donne le feu (lorsque cet air devient plus raréfié ou plus léger). On aboutit ainsi à la formation des quatre éléments : eau, terre, air et feu, selon cet ordre de production, et leur mélange donne les différents objets du monde physique. L'*ensemble* du processus constitue la διακόσμησις ou création du monde physique et n'a rien à voir avec la destruction ultérieure du monde dans l'ἐκπύρωσις où le monde entier retournera au feu (textes dans von Arnim, *Stoicorum Veterum Fragmenta* I, 102).

Les remarques suivantes sur le passage d'Hermias peuvent offrir quelque intérêt.

1. Hermias présente l'élément eau comme issu de la terre au lieu d'en faire un reste de l'eau. C'est la version prêtée à Chrysippe (*SVF* II 413) et Hermias peut bien avoir raison d'attribuer aussi cette théorie à Cléanthe. Nous ne disposons pas d'autre texte des Stoïciens sur ce point précis à propos de Cléanthe. On discute cependant beaucoup sur la façon de reconstituer la cosmogonie de ce philosophe. Cf. par exemple D.E. Halm, *The origins of Stoic Cosmology*, Appendix III, 1977, Ohio State University.

2. Le texte d'Hermias semblerait fautif en 14, 9 :

(a) Diels voudrait ajouter ἄνω avant φέρεσθαι, mais il s'agit sans doute de la *génération* du feu à partir de l'air, aussi ...

(b) ... Pearson conjecture εἰς πῦρ au lieu de ἄνω, mais cela ne va pas avec le verbe φέρεσθαι, d'où ...

(c) ... Von Arnim a conjecturé une addition plus importante par exemple εἰς πῦρ. Καὶ τὸ μὲν πῦρ ἄνω φέρεσθαι, τὸν δὲ ἀέρα εἰς τὰ περίγεια χωρεῖν. Cette interprétation ferait des περίγεια la région occupée par l'air, donc au-dessous des planètes. Mais cette solution nous semble impliquer un remaniement excessif du texte.

(d) Nous préférerions une conjecture plus simple, par exemple τὸν δέ ἀέρα πάλιν πῦρ γένεσθαι ou γίγνεσθαι ou πῦρ γένεσθαι, ou mieux encore εἰς πῦρ τρέπεσθαι.

3. De toute façon le feu ainsi engendré monte toujours plus haut et a pour fonction de produire les corps célestes. Ainsi pour Chrysippe (*SVF* II 413) la lune se compose de feu et d'air, mais le soleil seulement de feu. Cléanthe semble avoir cru que la lune aussi n'était constituée que de feu (*SVF* I 506). Le terme περίγεια pourrait fort bien désigner la région occupée par le soleil (et les planètes) puisqu'elle se trouve sous l'éther. Nous ne suivons pas Festa qui voudrait insérer le mot ὕδωρ (et en faire le sujet de χωρεῖν) et voit dans περίγεια une référence à la surface de la terre.

Appendice IV

Hermias 16

Dans les chapitres 16 et 17 Hermias aborde les explications mathématiques du cosmos. Pythagore avait le premier tenté ce genre d'explications, aussi les lui attribuait-on ainsi qu'à ses disciples. Hermias se conforme à cette pratique mais semble en fait baser sa construction des quatres élément sur le système des cinq solides réguliers exposée dans le *Timée* de Platon (54 e-55 c) ou dans un ouvrage postérieur.

Avant Platon, les Pythagoriciens avaient découvert le cube, le tétraèdre et le dodécaèdre. Sans doute avaient-ils cherché, à partir d'Empédocle, à appliquer cette géométrie aux quatre éléments. Le premier auteur à écrire sur la science pythagoricienne, Philolaos, à peu près contemporain de Socrate, essaya peut-être d'identifier les solides réguliers avec les éléments d'Empédocle. « Les corps contenus dans la sphère sont au nombre de cinq : le feu, l'eau, la terre, l'air et enfin la coque (ὁλκάς) de la sphère» (Fr. 12 dans J. Burnet, *Early Greek Philosophy* [4e édition], p. 283, n. 3). Les Pythagoriciens tenaient que le cosmos est sphérique et s'efforcèrent d'inscrire dans la sphère au moins les trois polyèdres qu'ils avaient effectivement découverts. Le dodécaèdre étant plus proche de la sphère que tous les autres solides réguliers on pouvait voir en lui les « membrures » soutenant la coque sphérique du « vaisseau du cosmos » pythagoricien. Pourtant on discute l'authenticité de ce fragment de Philolaos et l'on attribue à Théétète de l'Académie la découverte de l'icosaèdre et de l'octaèdre (v. Burnet *op. cit.*, ch. VII). Peut-être cela signifie-t-il seulement que Théétète fut le premier à réussir à inscrire ces polyèdres dans la sphère. Mais, même si nous concédons au pythagorisme primitif quelque notion des cinq « figures platoniciennes », nous ne pouvons lui attribuer une théorie explicite des solides dans leurs rapports avec les quatre éléments. A défaut d'autres preuves le terme « figures platoniciennes » semblerait en témoigner. De plus, Aristote qui critique la structure géométrique des éléments dans le *Timée* ne mentionne aucune théorie pythagoricienne à ce sujet (*De Caelo* III, ch. 7 et 8).

Néanmoins Hermias attribue l'invention des polyèdres aux Pythagoriciens et non à Platon. Et quand il énumère, sous le nom de principes de Platon : Dieu, la matière et le modèle (11, 4 : θεὸν καὶ ὕλην καὶ παράδειγμα), il semble dissocier Platon et les Pythagoriciens. Platon devait pourtant beaucoup au pythagorisme (v., par exemple, Aristote, *Métaphysique*, 987 a 10 - 987 b s.) et le *Timée* est imprégné de ses théories. A vrai dire, « Dieu, la matière et le modèle » ne constituent pas des principes premiers pour les Pythagoriciens. Mais cette formulation ne se trouve pas non plus chez Platon. Dieu et le modèle figurent bien dans le *Timée* et y tiennent une place fondamentale, mais la « matière » vient d'Aristote. Cependant, puisque Aristote identifiait sa « matière » avec le « réceptacle de l'espace » du *Timée* (Aristote, *Physique* 209 b 11 - 210 a), Hermias suit sans doute un usage très courant en confondant les deux notions. Cette façon de voir semblerait s'être généralisée au plus tard dès l'époque d'Hippolyte, vers 220 ap. J.-C. (*Ref.* I, 19, 1 = *Dox.* 567, 7). Ce dernier pouvait écrire sans autre distinction que pour Platon les ἀρχαί du tout étaient Dieu, la matière et le *paradeigma*. Ce sont les mots mêmes d'Hermias 11 et tout aussi bien, avant lui, sous une forme beaucoup plus élaborée, ceux d'Albinus, vers 150 ap. J.-C. (*Épitomé* IX, 1 Louis). Quelles que soient les sources d'Hermias, sa conception des premiers principes de Platon, comme sa vision géométrique des éléments, remontent sans doute en définitive au *Timée*.

Cette fusion de la philosophie de Platon avec la pensée d'écoles postérieures reparaît au chapitre 16. Hermias a beau tenir la « monade » pour le principe dernier des Pythagoriciens, les formes et le nombre des éléments qu'il en tire sont fondamentalement ceux du *Timée*. Dans ce dialogue, les structures des éléments trouvent leur source intelligible dans le modèle du Démiurge où l'on *pourrait* voir une monade, à vrai dire complexe (v. *Tim.* 30 c-31 b). Et dans la *Métaphysique (ibid.)*, Aristote attribue à Platon une théorie selon laquelle les premiers éléments des formes — qui sont des nombres — sont l'Un et le Grand et le Petit. Cette doctrine lui paraît à bien des égards semblable à celle des Pythagoriciens. Ainsi quoique la manière pour Hermias d'associer les schèmes de la Monade pythagoricienne avec les éléments du *Timée* puisse peut-être en partie se justifier et refléter les idées d'Aristote sur le platonisme et le pythagorisme, sa méthode fusionne les deux systèmes, selon un procédé assez courant dans les siècles qui ont suivi la mort de Platon.

Dans le *Timée*, la pyramide du feu, l'octaèdre de l'air et l'icosaèdre de l'eau comportent respectivement quatre, huit et vingt faces en formes de triangles équilatéraux. Chacune de ces faces se compose de six moitiés de triangles équilatéraux, sous forme de triangles rectangles scalènes avec des côtés présentant le rapport 1 $\sqrt{3}:2$. Ces trois polyèdres étant constitués de la même sorte de triangles peuvent se transformer l'un en l'autre. Le cube de l'élément terre, par contre, est exclu de ce cycle de transformation. Quand il est écrasé ou divisé par un autre solide, ses parties ne peuvent se reconstituer que sous la forme du cube. Cela tient à ce que ses six faces carrées se composent d'un type de triangle rectangle différent : le demi-carré ou triangle isocèle, avec à la base des angles de 45° et des côtés présentant un rapport $1\sqrt{2}:1$ (v. *Tim.* 53 d - 56 c). Hermias ne mentionne pas cette différence de type des triangles ni le cycle de transformation réciproque de trois des polyèdres qui en découle.

Chacun des carrés constituant les faces du cube de l'élément terre dans le *Timée* est fait de quatre triangles rectangles isocèles, ce qui donne un total de vingt-quatre parties triangulaires identiques. Ce nombre s'accorde avec le chiffre vingt-quatre de la fin du chapitre, leçon commune à tous les mss. Et ces derniers donnent tous le chiffre quarante-huit (ligne 15) incompatible avec le *Timée* et la fin du chapitre dans notre texte. Certains éditeurs ont essayé d'éliminer cette inconséquence en remplaçant le quatre et le vingt-quatre par huit et quarante-huit.

Malgré cette contradiction, Hermias paraît bien s'appuyer ici sur le *Timée* ou sur quelque autre ouvrage qui en dérivait. Ceci pour deux raisons principales. Tout d'abord, Hermias n'a pas à diviser les faces équilatérales du feu, de l'air, ni de l'eau, car, à la différence du *Timée*, il n'utilise pas cette division. Deuxièmement, rien n'oblige à diviser ces faces de cette manière. Une méthode plus simple consisterait à laisser entiers les carrés et les triangles équilatéraux ou à diviser chaque face — y compris les carrés du cube de l'élément terre — en deux parties triangulaires. Au vrai on se demande toujours pourquoi le *Timée* divise le triangle équilatéral et le carré en six et quatre parties respectivement. Peut-être est-ce pour établir entre les deux éléments irréconciliables, le feu et la terre, une sorte d'égalité proportionnelle en les rendant divisibles en un même nombre de parties fondamentales différentes : le feu $= 4 \times 6 = 24$ et la terre $= 6 \times 4 = 24$. Le rapport entre tous les éléments serait alors 1 : 2 : 5 : 1. Si l'on divisait chaque face en deux parties on aboutirait au rapport 1 : 2 : 5 : 3 — rapport moins satisfaisant, car ses termes derniers ne s'équilibrent pas et le rapport n'est pas encadré par l'unité, ultime facteur limite aux deux extrémités. (Néanmoins on trouvera une autre solution largement acceptée dans F. M. Cornford, *Plato's Cosmology*, London [1937], p. 230-9 ; et une critique de cette solution dans W. Pohle, « The Mathematical Foundation of Plato's Atomic Physics », *Isis 62* [1971], p. 36-46.)

La division des faces des solides du feu, de l'air et de l'eau chez Hermias reproduit celle du *Timée* : nous nous attendrions donc à la même similitude dans le cas du solide de la terre. Nous devrions ainsi trouver le chiffre vingt-quatre et non quarante-huit (ligne 15 du texte). Il n'en est rien et cela peut s'expliquer de trois façons différentes :

(1) Le chiffre quarante-huit existait dans le document utilisé par Hermias, mais non dans le *Timée*. Notre auteur l'a recopié sans remarquer la contradiction. Cependant on a peine à voir la raison du choix de ce chiffre, s'il est bien voulu. A coup sûr quarante-huit est le double de vingt-quatre, mais on ne double pas le cube en doublant le nombre de ses parties si tant est qu'il se *divise*. En outre dans ce contexte doubler le cube ne rime à rien.

(2) Faut-il supposer une erreur involontaire, manuscrite ou mathématique de la part d'Hermias ? C'est peu probable, puisque le chiffre vingt-quatre suit de si près le chiffre quarante-huit.

(3) Peut-être une erreur commise dans le manuscrit le plus ancien a-t-elle été reproduite par tous les autres. Cette hypothèse est plus vraisemblable, mais suppose que le copiste ne s'est pas aperçu de son erreur.

On ne peut rejeter aucune de ces solutions. Le choix s'offre entre l'erreur humaine et une intention dont la raison reste obscure. L'exactitude mathématique des constructions antérieures et leur conformité avec le *Timée* indiquent que le chiffre quarante-huit constitue une erreur qui n'a pas été corrigée et s'est perpétuée. A quelle étape s'est-elle produite pour la première fois ? Le mystère subsiste.

Hermias associe le dodécaèdre et l'éther : cette théorie paraîtrait provenir d'une époque où l'insistance d'Aristote sur l'éther s'était déjà jointe aux idées de Platon et des Pythagoriciens qui voyaient dans le dodécaèdre le solide céleste fondamental. Dans les dialogues de Platon l'éther semble d'ordinaire identique à l'air des régions célestes — supérieur à l'air ordinaire mais non pas de nature entièrement différente (*Tim.* 58 d ; *Phédon* 109 b, 111 b). Un passage de l'*Épinomis* indique cependant que l'éther constitue une sorte de « matériau » cosmique intermédiaire, distinct de l'air mais inférieur au feu (*Épin.* 984 b-985 a). Si donc l'éther devient en fait un cinquième élément, une place lui est tout indiquée : le cinquième solide régulier, le dodécaèdre. Mais, quelle qu'ait été l'évolution de sa pensée, Platon n'accordait pas à l'éther l'importance qu'Aristote lui donne dans sa cosmologie et, dans ses premières œuvres, sur la psychologie. C'est là qu'il devient à proprement parler le cinquième élément, mais, pas plus que Platon, le Stagirite ne l'associe avec le dodécaèdre, car, à la différence de Platon, il n'associe aucun des éléments avec les polyèdres. Par contre, le cinquième solide, le dodécaèdre, occupe bien une place importante dans la cosmologie de Platon, même si l'on n'y trouve ni la manière de le construire, ni mention de son nom. En fait, contrairement à Hermias, Platon ne parle nommément que de la pyramide du feu et du cube de la terre, mais on voit bien par leur construction que l'air s'identifie à l'octaèdre et l'eau à l'icosaèdre. Pourquoi ces deux solides ? Peut-être parce qu'on peut construire l'un et l'autre à partir des faces de la pyramide et parce qu'ils représentent les instruments mathématiques intermédiaires qui relient les deux solides fondamentaux du feu et de la terre. Le cinquième solide du *Timée* ne peut se construire à partir d'aucun des deux triangles fondamentaux de Platon. Il sert pour l'ensemble du ciel et contient donc les autres solides. Les constellations sont « brodées » sur lui (*Tim.* 55 c).

Le dodécaèdre se compose de douze pentagones réguliers : on peut ainsi diviser les sphères célestes en douze aires pentagonales et y disposer la carte des constellations. Ce système pourrait faire écho à une tentative plus ancienne des Pythagoriciens et aller dans le sens de leur théorie qui faisait du dodécaèdre les « membrures » du vaisseau sphérique du cosmos visible (voir encore A. E. Taylor, *A commentary on Plato's Timaeus*, Oxford 1928, p. 377-378). Dans le *Phédon* (110 b) la « terre véritable » présente l'apparence d'un ballon fait de douze morceaux de peau. Quoi qu'il en soit du sens de la formule « terre véritable », Platon persistait peut-être, même à ce stade de son œuvre, à associer le dodécaèdre avec les cieux visibles. Aristote, pour sa part, ignora le dodécaèdre, mais éleva l'éther au rang d'élément du domaine céleste. Ce faisant, il semblait croire qu'il se bornait à suivre ses prédécesseurs (*De Caelo* 770 b 15-25). Le dodécaèdre enveloppe le tout et son mouvement serait donc sphérique. Par ailleurs, il se compose de triangles différents des deux types employés par Platon pour construire les quatre autres solides. Aristote devait donc sans doute croire qu'en mettant en valeur l'élément du domaine céleste, mais en le dépouillant de sa forme de « solide », il se contentait de mieux arranger — c'est-à-dire à son idée — les théories du passé.

Vu sa manière personnelle de formuler les principes de Platon et l'identification de l'éther au dodécaèdre, nous concluons donc que, très vraisemblablement, Hermias a basé son résumé de la philosophie platonicienne et sa construction des éléments sur une source différente des dialogues. Il a pu s'appuyer sur la tradition doxographique à l'un de ses niveaux ou sur un commentaire du *Timée*. De toute façon son texte manifeste un syncrétisme de la philosophie aristotélicienne et du néo-pythagorisme, typique des deux premiers siècles ap. J.-C. On n'y relève aucune trace obvie de néo-platonisme.

INDEX

INDEX DU VOCABULAIRE GREC

Dans cet Index, rédigé d'après celui établi par J. L. North en 1985, le premier chiffre des références renvoie au chapitre de la *Satire*, le suivant à la ligne.

A) Index nominum

B) Index verborum

(L'Index comprend tous les mots qui ont un sens plein, laissant de côté les mots-outils).

1. Les emplois de ce verbe comme copules n'ont pas été relevés.

INDEX DES NOMS PROPRES *

* Cet Index comporte seulement les noms propres qui ne figurent pas dans le texte même d'Hermias (pour ces derniers, se reporter à l'Index du vocabulaire grec). Les chiffres renvoient aux pages du présent volume.

TABLE DES MATIÈRES

SOURCES CHRÉTIENNES

Dans la liste qui suit, dite « liste alphabétique », tous les ouvrages sont rangés par nom d'auteur ancien, les numéros précisant pour chacun l'ordre de parution depuis le début de la collection. Pour une information plus complète, on peut se procurer deux autres listes au secrétariat de « Sources Chrétiennes » — 29, rue du Plat, 69002 Lyon (France) — Tél. : 78 37 27 08 :

1. La « liste numérique », qui présente les volumes et leurs auteurs actuels d'après les dates de publication ; elle indique les réimpressions et les ouvrages momentanément épuisés ou dont la réédition est préparée.
2. La « liste thématique », qui présente les volumes d'après les centres d'intérêt et les genres littéraires : exégèse, dogme, histoire, correspondance, apologétique, etc.

LISTE ALPHABÉTIQUE (1-388)

ACTES DE LA CONFÉRENCE DE CARTHAGE : *194, 195, 224* et *373.*
ADAM DE PERSEIGNE.
  Lettres, I : *66.*
AELRED DE RIEVAULX.
  Quand Jésus eut douze ans : *60.*
  La vie de recluse : *76.*
AMBROISE DE MILAN.
  Apologie de David : *239.*
  Des sacrements : *25 bis.*
  Des mystères : *25 bis.*
  Explication du Symbole : *25 bis.*
  La Pénitence : *179.*
  Sur saint Luc : *45* et *52.*
AMÉDÉE DE LAUSANNE.
  Huit homélies mariales : *72.*
ANSELME DE CANTORBÉRY.
  Pourquoi Dieu s'est fait homme : *91.*
ANSELME DE HAVELBERG.
  Dialogues, I : *118.*
APHRAATE LE SAGE PERSAN.
  Exposés : *349* et *359.*
APOCALYPSE DE BARUCH : *144* et *145.*
APOPHTEGMES DES PÈRES I : *387.*
ARISTÉE (LETTRE D') : *89.*
ATHANASE D'ALEXANDRIE.
  Deux apologies : *56 bis.*
  Discours contre les païens : *18 bis.*
  Voir « Histoire acéphale » : *317.*
  Lettre à Sérapion : *15.*
  Sur l'Incarnation du Verbe : *199.*
ATHÉNAGORE.
  Supplique au sujet des chrétiens : *379.*
  Sur la résurrection des morts : *379*
AUGUSTIN.
  Commentaire de la première Épître de saint Jean : *75.*
  Sermons pour la Pâque : *116.*
BARNABÉ (ÉPÎTRE DE) : *172.*
BASILE DE CÉSARÉE.
  Contre Eunome : *299* et *305.*
  Homélies sur l'Hexaéméron : *26 bis.*
  Sur le baptême : *357.*
  Sur l'origine de l'homme : *160.*
  Traité du Saint-Esprit : *17 bis.*
BASILE DE SÉLEUCIE.
  Homélie pascale : *187.*
BAUDOUIN DE FORD.
  Le sacrement de l'autel : *93* et *94.*
BENOÎT (RÈGLE DE S.) : *181-186.*

SOUS PRESSE

BERNARD DE CLAIRVAUX : **A la gloire de la Vierge Mère**. I. Huille, J. Regnard.

JEAN CHRYSOSTOME : **Sur l'égalité du Père et du Fils** (hom. VII-XII contre les anoméens). A.-M. Malingrey.

ORIGÈNE : **Homélies sur les Juges**. P. Messié, L. Neyrand, M. Borret.

PROCHAINES PUBLICATIONS

ATHANASE D'ALEXANDRIE : **Vie d'Antoine**. G. Bartelink.

BASILE DE CÉSARÉE : **Homélies morales**. Tome I. P. Rouillard (†), M.-L. Guillaumin.

BERNARD DE CLAIRVAUX : **L'amour de Dieu. La grâce et le libre arbitre**. F. Callerot, J. Christophe, I. Huille, P. Verdeyen.

CÉSAIRE D'ARLES : **Œuvres monastiques**. Tome II : **Œuvres pour les moines**. J. Courreau, A. de Vogüé.

CYRILLE D'ALEXANDRIE : **Lettres festales**. Tome II. L. Arragon, P. Évieux, R. Monier.

ÉVAGRE LE PONTIQUE : **Scholies à l'Ecclésiaste**. P. Géhin.

GRÉGOIRE DE NAZIANZE : **Discours 6-12**. M.-A. Calvet.

GRÉGOIRE LE GRAND : **Commentaire sur le Premier Livre des Rois**. Tome II. C. Vuillaume.

Livre d'heures ancien du Sinaï. M. Ajjoub.

TERTULLIEN : **De pudicitia**. C. Micaelli, C. Munier.

IMPRIMERIE A. BONTEMPS
PANAZOL (FRANCE)
Registre des travaux :
DÉPÔT LÉGAL : Mai 1993
IMPRIMEUR N° 21512-92 — ÉDITEUR N° 9697

BR 60 .S65 vol. 388

Hermias.

Satire des philosophes
pa¨iens